Herbert Haag

Das Land der Bibel

Herbert Haag

Das Land der Bibel

Geographie – Geschichte – Archäologie

kbw bibelwerk

www.bibelwerk.de

ISBN 978-3-460-32779-5

Nachauflage mit neuem Umschlag
des vormals unter der ISBN 3-460-32792-8 erschienenen Titels.

Umschlaggestaltung: Finken & Bumiller, Stuttgart
Druck und Bindung: Friedrich Pustet KG, Regensburg

INHALT

VORWORT

«Das Land der Bibel» erfreut sich seit 1976 großer Beliebtheit und erlebte mehrere Auflagen.
Es will eine Einführung in Geographie, Geschichte und Archäologie Palästinas sein. Die Chronologie folgt dem System, das ich im Bibel-Lexikon angewendet habe. Im Teil Archäologie wird wegen der gebotenen Kürze auf eine nähere Darstellung der archäologischen Methoden verzichtet. Statt dessen bot sich ein Abriß über Geschichte, Ziele und Ergebnisse der biblischen Archäologie an.
So möchte das Buch auch weiterhin für Theologiestudierende, Religionslehrer/innen und Heiliglandreisende eine praktische Handreichung sein.

Luzern, Ostern 2000 Herbert Haag

Nachdem das vorliegende Buch mehrere Jahre nicht lieferbar war, wird es nun unverändert neu aufgelegt. Auch nach dem Tod seines Autors stellt dieser «Klassiker» noch immer eine wertvolle Einführung in die biblische Landeskunde dar – für Reisende und Nicht-Reisende.

Stuttgart, im Advent 2011 Dr. Georg Röwekamp

ERSTER TEIL

PHYSISCHE GEOGRAPHIE

Zwar ist der Schauplatz der Bibel nicht auf das Land beschränkt, das in der Fachsprache Palästina genannt wird. Die Bibel läßt die Heilsgeschichte mit der Berufung Abrahams beginnen (Gen 12,1–3), die außerhalb Palästinas, in Haran in Obermesopotamien (Gen 11,32; 12,4), erfolgt. Und das grundlegende Heilsgeschehen des Alten Bundes, die Herausführung Israels aus Ägypten und das Wunder am Meer, ereignet sich ebenfalls außerhalb Palästinas. Ganze biblische Bücher spielen in einem anderen Land, so das Buch Ezechiel in Babylonien, das Buch Tobit in Assyrien und Medien, das Buch Ester an der Residenz der persischen Könige in Susa. Neuere Forschungen zeigen immer deutlicher die enge Verbundenheit Kretas mit der biblischen Geschichte. Im 1. Makkabäerbuch (1,3) wird darauf angespielt, daß Alexander der Große mit seinem Heer bis zum Himalaja vorstieß. Im gleichen Buch wird auch erstmals in der Bibel Rom genannt (1,10). Das im Alten Testament mehrmals erwähnte Tarschisch wird in Spanien vermutet. So reicht das Blickfeld des Alten Testaments vom Indus bis zum Tiber und zum Guadalquivir. Daß die Schriften des Neuen Testaments das ganze östliche Mittelmeerbecken umspannen, ist allbekannt.

Eine biblische Geographie wäre also eigentlich eine Geographie der ganzen alten Welt. Im Besonderen ist der halbmondförmige Streifen Kulturland, der sich, vom Persischen Golf ausgehend, das Anschwemmungsland von Eufrat und Tigris hinauf und dann den syrisch-palästinischen Küstenstreifen südwärts zieht und der nach einer kurzen Unterbrechung durch die sinaitische Wüste im fruchtbaren Niltal seine Fortsetzung findet, die Szene, auf der sich das durch die Bibel bezeugte Eingreifen Gottes in die Geschichte der Menschheit zugetragen hat. Wegen seiner sichelartigen Form wird dieser

Kulturlandstreifen nach einer vom amerikanischen Orientalisten J. H. Breasted (1865–1935) geprägten Bezeichnung der «Fruchtbare Halbmond» («Fertile Crescent») genannt. Wer immer also mit dem Schauplatz der Bibel durch persönliche Begegnung in direkten Kontakt kommen will, wird sich nicht mit einem Besuch Palästinas begnügen dürfen, sondern diesem eine Durchquerung Ägyptens, der Sinai-Halbinsel, Transjordaniens, Syriens, Mesopotamiens, Kleinasiens, Irans, ja Griechenlands und Kretas und selbst einen Besuch Roms vorausgehen oder folgen lassen.

Wie weit aber immer der geographische Kreis der Bibel ausgreifen mag: sein Mittelpunkt ist Palästina. Gott ruft Abraham aus Mesopotamien heraus, um ihn in das Land Kanaan zu führen (Gen 12,5–7). Er führt Israel aus Ägypten heraus, um ihm das Land Kanaan zu schenken (Ex 3,8). Die israelitischen Verbannten in Assyrien, Medien, Babylonien, Persien glauben an einen Gott, hoffen auf einen Gott, verehren einen Gott, der sein Heiligtum in Jerusalem hat, und Daniel wendet in Babel sein Antlitz nach Jerusalem, wenn er betet (Dan 6,11). So ist der Raum «von Dan bis Beerscheba», von der nördlichsten bis zur südlichsten Stadt des biblischen Palästina, der bevorzugte Raum, in dem sich die Geschichte Israels abspielt. «Es geht nicht an, daß ein Prophet außerhalb Jerusalems umkomme», erklärt Jesus im Hinblick auf seinen bevorstehenden Tod (Lk 13,33), und von Jerusalem ziehen die Apostel zur Verkündigung seiner Botschaft in die Welt hinaus. So ist es berechtigt, unter «Land der Bibel» Palästina zu verstehen. Auf dieses soll sich unsere biblische Geographie beschränken.

I.

DIE NAMEN DES LANDES

In den altorientalischen Texten wird Palästina mit verschiedenen Namen bezeichnet. Der klassische ägyptische Name ist *retschenu* (rṯnw, Bedeutung ungesichert, vgl. S. 52). In den

Keilschrifttexten begegnen wir vor allem dem Namen *amurru* (= das, von Mesopotamien aus gesehen, westliche Land). Dem entspricht, daß die Bibel oft neben den «Kanaanitern» die «Amoriter» als vorisraelitische Bevölkerung Palästinas nennt. Aber nur der erste Volksname kommt in der Bibel auch als Landesname «Kanaan» vor (s. u.).

Zwar finden wir in der Bibel für das Siedlungsgebiet der israelitischen Stämme auch andere Namen wie *Land Israel* (ᵓeres̥ jiśrāᵓēl, einmal [1 Chr 13,2] in der Pluralform *ᵓars̥ōt jiśrāᵓēl*) genannt (1 Sam 13,19; 2 Kön 5,2.4; 6,23; Ez 27,17; 40,2; 47,18; 1 Chr 22,2; 2 Chr 2,16; 30,25; 34,7; Mt 2,20f), gelegentlich auch *Land Jahwes* (Jes 14,3; Hos 9,3). Der Name *Heiliges Land (ᵓadmat hak̥k̥ōdeš)*, der im christlichen Sprachgebrauch bis heute der vorherrschende geblieben ist, begegnet in der Bibel nur einmal (Sach 2,16). Der dominierende biblische Name ist *Land Kanaan (ᵓeres̥ kᵉnaᶜan)*. Auch dieser Name ist, neben *amurru*, den Keilschrifttexten seit dem 18. Jh. v. Chr. vertraut. In den Amarnabriefen (s. dazu S. 56f) wird Kanaan *māt kinaḫni, kinaḫna, kinaḫḫi* genannt. Seit sich in den Texten von Nuzi (15. Jh.) das Wort *kinaḫḫu* = roter Purpur gefunden hat, kann *māt kinaḫḫi* als das «Land des roten Purpurs» erklärt werden (wobei offen bleiben muß, ob der Name vom Land auf das Erzeugnis übertragen wurde oder umgekehrt). In der Tat blühte an der phönizischen Küste das Purpurgewerbe. Auch die Griechen nannten das Land nach dem Purpur *(phoinix) Phoinīkē*. Damit ist schon angedeutet, daß mit Kanaan in erster Linie nicht Palästina, der südliche Abschnitt der östlichen Mittelmeerküste, gemeint ist, sondern Phönizien, der nördliche Abschnitt der Küste. Tatsächlich wird der Name Kanaan sowohl in akkadischen wie in ägyptischen Texten für Phönizien gebraucht. Die Bibel verwendet jedoch den Begriff recht frei: für ganz Cisjordanien (d. h. «Palästina»), bloß für Nord- und Zentralpalästina, einmal (Gen 50,11) für Transjordanien, aber auch für den Küstenstreifen und besonders seinen phönizischen, d. h. nördlichen Abschnitt.

Begegnet uns der Name Kanaan auf vielen Seiten der Heiligen Schrift, so ist umgekehrt der Name *Palästina* außerbiblischen Ursprungs.[1] Er leitet sich her vom Namen der *Philister*, einem nicht-semitischen Volk, das spätestens seit dem 12. Jh. v. Chr. (vielleicht schon früher) die Küstenebene südlich des Karmel bewohnte und von dessen Kämpfen mit den Israeliten das Alte Testament vieles berichtet (s. u. S. 71–75.162 f). Offenbar bezeichneten sich die Bewohner dieses Küstenstriches noch in persischer Zeit als Philister. Die griechischen Seefahrer und Kaufleute nannten zwar den ganzen Raum des Vorderen Orients, also unser heutiges Palästina, Syrien/Libanon und einen Teil von Irak, die damalige fünfte persische Satrapie, *Syrien,* teilten aber den Küstenstrich in zwei Hälften auf. Die nördliche Hälfte, das «Syrien der Phöniker», unterschieden sie vom südlichen «Syrien der Palästiner» *(Syria tôn Palaistinôn).* «Palästiner» ist also nichts anderes als die griechische Umbildung für Philister. Diese Ausdrucksweise erscheint zum erstenmal bei Herodot im 5. Jh. v. Chr. Nach Herodot kennen auch andere griechische und römische Schriftsteller diesen Küstenstrich als «Palästina», so der Historiker Plutarch.

Die römische Verwaltung griff den Namen auf und gab ab 135 n. Chr. der ganzen Provinz samt dem Binnenland den Namen «Syria Palaestina» (statt des früheren, fortan geächteten Namens Judaea), seit dem 4. Jh. einfach «Palaestina». An der Küste lagen ja wichtige Hafenstädte, so das von den Römern zur Provinzhauptstadt erhobene Cäsarea, das sie zum Unterschied von anderen Städten des gleichen Namens Caesarea Palaestinae nannten. Aus der römischen Verwaltung ist der Name Palästina dann in die Sprache der Kirchenväter übergegangen, wie des Eusebius von Cäsarea und des Hieronymus, und damit in den Gebrauch der alten Kirche überhaupt.

Eigentlich populär ist aber der Name Palästina erst in neuester Zeit geworden. Weil er sich in der wissenschaftlichen Literatur des 19. Jh. eingebürgert hatte, wurde er von den Engländern als die offizielle Bezeichnung des ihnen nach dem Ersten Weltkrieg zugefallenen Mandatgebietes gewählt. Unter dem britischen Mandat betraf der Name Palästina also auch eine politische Größe. Seit der Beendigung des Mandats und der Gründung des Staates Israel im Jahr 1948 ist dies anders geworden. Heute ist bei den Juden der Name Palästina verpönt; nach dem Namen des Staates spricht man von «Israel». In der wissenschaftlichen Sprache werden wir jedoch auf die Bezeichnung Palästina nicht verzichten können, gerade weil sie geeignet ist, das Land, ungeachtet einer bestimmten politischen Situation, als geographische und kulturelle Größe zu erfassen. Wir werden also weiterhin von der Geschichte, Geographie, Archäologie Palästinas (und nicht Israels) sprechen.

II.

GRENZEN UND GRÖSSE DES LANDES

Obwohl Palästina nur einen Teil des gebirgigen Küstenstreifens bildet, der den gewaltigen Landkörper Arabiens vom Mittelmeer scheidet, läßt es sich doch bis zu einem gewissen Grad durch natürliche Grenzen als geographische Einheit verstehen. Eindeutig sind die West- und die Ostgrenze: im Westen das Mittelmeer, im Osten der Jordan und die durch ihn gebildeten stehenden Gewässer.

Für die Nordgrenze bieten sich zwei natürliche Möglichkeiten an: entweder nimmt man den Leontes-Fluß *(nahr el-k̥āsimīje)* zum Ausgangspunkt und zieht die Grenze nach Osten bis zum Südfuß des Hermon (unter Einschluß von zwei der drei Jordanquellen). Oder man geht von der prächtigen Anhöhe der «Tyrischen Treppe» (*rās en-nāk̥ūra/rōš hannik̥rā,* heute Staatsgrenze zwischen Israel und Libanon) nach Osten zum Nordufer des einstigen *ḫ̥ūle*-Sees. Die politische Grenze des britischen Mandatgebietes (und auch wieder des heutigen Staates Israel) hat diese beiden Varianten miteinander kombiniert.

Auch für die Südgrenze bieten sich zwei Möglichkeiten an: entweder vom Südende des Toten Meeres über Beerscheba – *wādi ghazze* und Gaza zum Mittelmeer (diese Grenzziehung entspricht der häufigen biblischen Wendung «von Dan bis Beerscheba», vgl. u. S. 28). Oder aber vom gleichen Ausgangspunkt über Avdat – *wādi el-ᶜarīsch* (Bach Ägyptens?) zum Meer. Diese Linie entspräche den biblischen Stellen, an denen der «Bach Ägyptens» *(naḫal miṣrajim)* als die Südgrenze des Landes genannt ist (Num 34,5; Jos 15,4.47; 1 Kön 8,65; 2 Kön 24,7; Jes 27,12; 2 Chr 7,8).

Zu dem ehemaligen britischen Mandatgebiet wurde jedoch die Südwüste (Negev) noch so dazugeschlagen, daß die Grenze zwischen Palästina und Ägypten (wie schon zwischen dem Ottomanenreich und Ägypten) in einer fast schnurgeraden Linie von Raphia (arab. *rafaḫ*) nahe der Mittelmeerküste nach *rās el-maṣri* nahe der Nord-Spitze des Golfes von ᶜ*aḳaba* lief. Dies ist auch die israelisch-ägyptische Grenze von 1949, mit der Ausnahme, daß der sogenannte Gaza-Streifen unter ägyptische Verwaltung kam.[2]

Dieses durch die Grenzen des britischen Mandatlandes umschriebene Gebiet hatte eine Größe von ca. 26300 qkm. Doch entfielen davon ca. 8500 qkm allein auf den Negev, so daß für Palästina im engeren Sinn knapp 18000 qkm verblieben (zum Vergleich: Württemberg 19500 qkm).

Einige Zahlen mögen die Ausdehnung des Landes verdeutlichen: Die größte Nord-Süd-Ausdehnung (Metullah-Elat) beträgt 430 km. Vom Mittelmeer zum Jordan auf der Breite von Jerusalem mißt die Distanz 90 km, von Dan bis Beerscheba 240 km, von Jerusalem bis Nazaret 105 km, von Jerusalem nach Jericho 24 km (gemeint ist immer die ungefähre Luftlinie).

Mehrfach ist freilich im Alten Testament davon die Rede, das sich das israelitische Herrschaftsgebiet bis an den Eufrat erstreckt (Gen 15,18; Dtn 11,24; Jos 1,4). Wenn es sich hierbei auch um einen Wunschtraum handelt, so ist doch sicher, daß der Einflußbereich Israels in der Vergangenheit (wie in der Gegenwart) nicht immer mit den Grenzen Palästinas identisch war.

III.

ERDGESCHICHTE PALÄSTINAS

Soweit sich die geologische Geschichte Palästinas greifen läßt, ist dieses immer ein Küstenland gewesen. Die Küste des damaligen Meeres, von dem das heutige Mittelmeer nur ein Überbleibsel ist, lag nicht sehr weit von der jetzigen palästinischen Küste entfernt. Lange Zeit scheint sie etwa im heutigen Jordangraben verlaufen zu sein. Zeitweise zog sich aber das Meer weiter nach Westen zurück, so daß das palästinische Land erschien, zeitweise stieß es auch nach Transjordanien vor. Offenbar lag der Südosten Palästinas immer etwas höher als das übrige Land und tauchte somit stets zuerst als Insel aus dem Meer auf, wenn dieses sich zurückzog. Weil das Westjordanland die meiste Zeit vom Meer bedeckt war, ist sein Gestein vorwiegend das Ergebnis der Meeresablagerung. Dieses ist entweder ein harter, wasserdurchlässiger Kalkstein (Berge von Judäa, Karmel, Garizim, Ebal), der einen guten Baustein abgibt (der salomonische wie der herodianische Tempel wurden aus ihm gebaut), oder eine weiche Kreide, die leicht weggewaschen wird und daher zur Bildung des palästinischen Talsystems entscheidend beigetragen hat. In Transjordanien, wohin das Meer seltener kam, herrscht der auf dem Festland gebildete sogenannte nubische Sandstein vor. Dieser hat nicht ausschließlich, aber vorwiegend rote Farbe, namentlich im äußersten Süden Transjordaniens, der in der Bibel Edom, das rote Land, heißt.

In der letzten Phase des Mesozoikums, der Kreidezeit, überschwemmte das Meer nochmals zuerst ganz Palästina, dann das nördliche, schließlich auch das südliche Transjordanien. Dann aber zog es sich zurück, und in einer frühen Phase des Tertiärs, im Eozän, vor vielleicht fünfzig Millionen Jahren, tauchte Palästina allmählich aus dem Wasser auf. Allerdings scheint entlang der Linie, auf der später der Einbruch des Jordangrabens erfolgte, damals schon ein Einschnitt gelegen zu haben, der durch einen Meeresarm ausgefüllt war. Die letzte Phase des Tertiärs, das Pliozän, ist durch zwei Vorgänge gekennzeichnet, die die Gestalt des heutigen Palästina bestimmend mitgeformt haben. Einmal herrschte in dieser Zeit eine lebhafte vulkanische Tätigkeit zu beiden Seiten des oberen Jordangrabens mit Ablagerungen von Basaltlava. Das andere Ereignis war der Einbruch des Jordangrabens selbst. Am Ende des Tertiärs (vor vielleicht drei bis zwei Millionen Jahren) bildete sich der tiefe Grabenbruch, der sich vom Orontes bis nach Ostafrika verfolgen läßt und in Palästina seine größte Tiefe erreicht. Dabei wurde das palästinische Gebirge, das das ganze Land von Norden nach Süden durchzieht, aufgefaltet. Zugleich brach auch das Festland am Westrand des Gebirges ein, tauchte jedoch später wieder aus dem Meer auf, so daß heute ein flacher Küstenstreifen Gebirge und Meer trennt. Im Inneren des Landes erfolgten noch sekundäre Einbrüche, deren wichtigstes Ergebnis die Ebene Jesreel ist.

Das Quartär oder Pleistozän begann wohl vor etwas mehr als einer Million Jahre. Bekanntlich ist das Quartär in Europa durch vier Eiszeiten charakterisiert, die durch drei Zwischeneiszeiten unterschieden sind. Palästina kannte keine größeren Vergletscherungen, sondern Phasen mit starkem Regenfall, so daß wir dort von Regen- und Zwischenregenzeiten (Pluvial- und Zwischenpluvialzeiten) sprechen müßten. Während der Pluvialzeiten wurden die Täler und Binnenebenen von großen Seen gefüllt. Das Meer hob und senkte sich in Entsprechung zum Abschmelzen und Anwachsen der Eiskappen. Bei Meereshochständen könnte der Jordangraben eine Bucht des Mittelmeeres gewesen sein. Während der Meerestiefstände wurde die Verbindung mit dem Meer unterbrochen, so daß eine Reihe von selbständigen Wasserbecken übrigblieben: das *h̥ūle*-Becken, das Becken des Sees Tiberias und das Becken des Toten Meeres. So hat Palästina im Verlaufe von Hunderten von Millionen Jahren sein jetziges mannigfaltiges und anmutiges Aussehen erhalten.

IV.

DIE PHYSISCHE GESTALT DES LANDES

Der kurze Blick in die Erdgeschichte Palästinas hat schon gezeigt, daß sich vier parallel in der Nord-Süd-Richtung verlaufende Zonen unterscheiden lassen.

1. Die Küstenebene

Der auf Palästina entfallende Abschnitt der Küstenebene beginnt im Norden beim Vorsprung der «Tyrischen Treppe» (*rās en-nāk̥ūra, rōš hannik̥rā*) und wird durch den noch markanteren Vorsprung des Karmelgebirges in zwei Abschnitte von ungleicher Länge und Breite geteilt. Der nördliche wird nach der ihn seit alters beherrschenden Stadt gewöhnlich *Ebene von Akko* genannt, nach dem ihn in alttestamentlicher Zeit bewohnenden Stamm *Ebene von Ascher.* Von den Tälern, die von den galiläischen Bergen her in die Ebene einmünden, fällt vor allem der Einschnitt auf, der von Safed nach Akko führt und die obergaliläischen von den untergaliläischen Bergen scheidet, heute in Israel *bik̥ᶜat bēt kerem* («Weinberghaus-Ebene») genannt. Wegen seiner bevorzugten Lage am Kreuzungspunkt der Nord-Süd- und Ost-West-Verbindungen und an der einzigen natürlichen Bucht der palästinischen Küste war Akko von den Phöniziern bis zu den Kreuzfahrern die führende Hafenstadt. Der Küstenstreifen der *Bucht von Akko* (nach der heute wichtigeren Stadt Haifa häufiger *Bucht von Haifa* genannt) heißt heute in Israel *Ebene Sebulon.* Er besteht größtenteils aus Ablagerungen von Nilsand. Am Südrand der Bucht mündet der biblische Bach *Kischon* (arab. *nahr el-muk̥at̥t̥a*^{c}*)*, der in der Ebene Jesreel entspringt und dem Fuße des Karmel entlangfließt, ins Meer. Das Karmelgebirge riegelt die Ebene von Ascher im Süden ab. An seinem Fuß liegt seit biblischer Zeit die Stadt *Haifa,* heute die drittgrößte Stadt Israels.

Auch die Küstenebene südlich des Karmelvorsprungs läßt sich in verschiedene Abschnitte einteilen. Eine erste Größe ist der schmale Abschnitt zwischen Haifa und dem *Krokodilfluß* (arab. *nahr ez-zerk̥ā* [«der blaue Fluß»], israel. *n*^{e}*har hattannīnīm* [wörtl. Übersetzung von Krokodilfluß]; so genannt, weil die alluvialen Kalkhügel der Küste den freien Abfluß des Wasserlaufes ins Meer behinderten und in den dadurch entstandenen Sümpfen bis vor hundert Jahren Krokodile hausten). Im Altertum scheint dieser Landstrich kaum bewohnt gewesen zu sein, abgesehen von der phönizischen Stadt *Dor,* die nach dem Meer hin lebte. Nach ihr kann dieser Abschnitt der Meeresküste die *Ebene von Dor* genannt werden.

Ähnlich war es um den nächsten Abschnitt bestellt. Er wird in der Bibel der *Scharon (haššārōn)* genannt (1 Chr 5,16; 27,29; Hld 2,1; Jes 33,9; 35,2; 65,10) und erstreckt sich vom Krokodilfluß bis zu einer Linie, die ungefähr von Jafo zum Tal von Ajalon hinübergezogen werden kann. Seine Länge beträgt etwa 80 km. Der wichtigste Wasserlauf der Scharon-Ebene ist der *jark̥ōn* (arab. *nahr el-*^{c}*ōdscha*), der bei der biblischen Stadt Afek entspringt und bei den nördlichen Außenvierteln der modernen Stadt Tel Aviv ins Meer mündet. In der nördlichen Partie der Scharon-Ebene sind als Querflüsse der *Alexander-Fluß* (arab. *nahr iskanderūne*) und der Fluß von *h̥ădērā* (arab. *nahr el-mefdschir*) zu erwähnen, die von den samarischen Bergen her kommen. Die heute so liebliche, mit üppigen Zitrus-Hainen bedeckte Ebene Scharon war in biblischer Zeit mit Eichenwäldern besetzt und wenig bewohnt. Die Bibel spricht daher von der «Majestät» *(hādār)* des Scharon (Jes 35,2), und im Hohenlied (2,1 f) sticht die Anmut des Mädchens von seiner Umgebung so ab wie eine Narzisse vom wilden Scharon. Die einzige wichtige Stadt in der Scharon-Ebene war in israelitischer Zeit *Jafo* (griech. Joppe, arab. *jāfā*), bis zur Gründung der Stadt *Cäsarea* durch Herodes den Älteren, wodurch auch das alte Dor seine Bedeutung einbüßte. Heute ist die Ebene mit Tel Aviv, der größten Stadt Palästinas, und ungezählten kleineren und mittleren Städten die am dichtesten besiedelte Gegend des Landes.

Den südlichsten Teil der palästinischen Meeresküste bildet das Philistergebiet, das letzte Stück des bewohnbaren Landes, bevor dieses in Wüste übergeht, die ihren Einfluß schon bemerkbar macht: Der Regen wird spärlicher, das Land ist trockener, Sümpfe sind nicht mehr zu bekämpfen. Weizen und Gerste gedeihen ausgezeichnet, ebenso Öl und Wein, wie es uns in der Bibel schon für die Patriarchenzeit (Gen 26,12) und für die Richterzeit (Ri 15,5) bezeugt ist und wie es heute noch die Erfahrungen in Israel bestätigen. Die fünf Städte der Philister: Gaza, Aschkelon, Aschdod, Gat und Ekron brachten Kultur und Handel zur Blüte. Von ihnen existierten *Gaza, Aschkelon* und *Aschdod* ununterbrochen bis zur Gegenwart weiter. Allerdings versandeten die Häfen von Aschkelon und Aschdod, und erst das moderne Israel hat den Hafen von Aschdod zu neuem Leben erweckt. Ein Dünenstreifen von stellenweise bis 5 km Tiefe säumt die philistäische Küste. Die Meeresebene ihrerseits erreicht im Süden ihre größte Breite. Diese beträgt bei Gaza ca. 40 km, nimmt aber nach Norden zu immer mehr ab (bei Aschkelon ca. 30, bei Tel Aviv ca. 20, bei Cäsarea ca. 15, schließlich zwischen Meer und Karmel nur noch 3 km).

2. Das palästinische Gebirge

a) Das galiläische Bergland und die Ebene Jesreel

Das galiläische Bergland setzt das Libanongebirge fort. Während aber der Libanon mit seinem höchsten Gipfel bis 3083 m ansteigt, erreicht das palästinische Gebirge nur eine Höhe von 1200 m. Es beginnt im Norden mit den Bergen von Galiläa, die wieder in Ober- und Untergaliläa zerfallen. Das *obergaliläische Gebirge* scheint in biblischer Zeit wie der Libanon stark bewaldet und wenig besiedelt gewesen zu sein; es spielte in der biblischen Geschichte nur eine sehr blasse Rolle. Es besitzt die höchste Erhebung des Westjordanlandes, den *dschebel dschermak̥* (israel. *har mērōn*, 1199 [1208?] m). In der Luftlinie knapp 10 km südöstlich davon liegt die Stadt *Safed* (israel. *s̥*^{e}*fat*), die höchste Stadt Israels (800–960 m, je nach Stadtgebiet).

Südlich des ungefähr auf der Breite von Akko liegenden Abfalls schließt sich das *untergaliläische Bergland* an, dessen freundliche, zum Teil vulkanische Höhen nur noch bei ca. 500 m liegen. Hart vor ihrem steilen Abfall zur Ebene Jesreel hin liegt, in eine Bergmulde eingebettet, die Stadt *Nazaret* auf einer Höhe von 343–488 m. Vom höchsten Punkt Nazarets (arab. *nebī sa*^{c}*īn*) geht der Blick nordwärts zu den obergaliläischen Bergen und zu der schmalen Binnenebene (arab. *sahl el-bat̥t̥ōf*, israel. *bik̥*^{c}*at bēt n*^{e}*tōfāh*; ca. 15 km lang und 3 km breit), die die obergaliläischen von den untergaliläischen Bergen scheidet, südwärts über die Ebene Jesreel hin zu den samarischen Bergen. Östlich von Nazaret steigt aus der Ebene Jesreel die runde Kuppe des Berges *Tabor* (arab. *dschebel et̥-t̥ōr*; 588 m) empor, dessen Hänge mit Büschen und Zwergeichen besetzt sind. Er ist ein weithin sichtbarer Orientierungspunkt. Im Süden wird die Ebene Jesreel von den samarischen Bergen begrenzt und von ihren Ausläufern, der Fortsetzung des Karmels (arab. *bilād er-rūḫa*) im Nordwesten und dem Gebirge Gilboa (arab. *dschebel fuk̥ū*^{c}*a*) im Nordosten, umklammert. Zwischen dem Tabor und dem

Gebirge Gilboa teilt der sogenannte «Kleine Hermon» (arab. *nebī daḥī*, israel. *givᶜat hammōreh* [nach Ri 7,1]; 515 m) das östliche Jesreel-Becken in zwei Hälften, deren nördliche vom *wādi esch-scharrar* (israel. *naḥal tābōr*), deren südliche vom *nahr dschalūd* (israel. *naḥal ḥărōd*) zum Jordan hin entwässert wird, während der die Karmelkette entlanglaufende Kischon (arab. *nahr el-muḳaṭṭaᶜ*) zum Mittelmeer fließt. Er und zahlreiche Nebenflüsse haben die Alluvial-Ebene *Jesreel,* wie ihr Name («Gott sät»; in griechischer Zeit wurde er in Esdrelon entstellt) andeutet, schon in biblischer Zeit zu überaus großer Fruchtbarkeit befähigt. Ihre Versumpfung aus arabischer und türkischer Zeit hat die moderne jüdische Kolonisation wieder beseitigt.

Fünf Zugänge führen in die Ebene Jesreel: zwei von Westen, einer von Norden, einer von Osten und einer von Süden. Von Westen bieten die Einschnitte des *wādi el-milḥ* (israel. *naḥal joḳnᵉᶜām*) und des *wādi ᶜārā* (israel. *naḥal ᶜīrōn*) bei den Festungen Jokneam und Megiddo günstige Einstiege in die Binnenebene, von Norden die von Akko nach Jokneam und weiter nach Megiddo führende Straße, von Osten das von der Festung Bet-Schean beherrschte Tal des schon erwähnten *nahr dschalūd* (israel. *naḥal ḥărōd*). Die weitaus wichtigsten Zugänge schützten die beiden Festungen *Megiddo* und *Bet-Schean,* die auf eine mehrtausendjährige wechselreiche Geschichte zurückblicken können. Die von Süden die Meeresküste entlangziehenden Armeen verließen diese in der Gegend des heutigen Hadera, brachen bei Megiddo in die Ebene Jesreel ein und verließen sie wieder bei Bet-Schean in Richtung Damaskus. Megiddo ist daher zum Inbegriff eines Schlachtfeldes und selbst zum Symbol der eschatologischen Kampfstätte geworden (Offb 16,16). Die denkwürdigsten Schlachten aus biblischer Zeit sind der Sieg Thutmosis III. über die Koalition syrischer Fürsten mit der anschließenden Eroberung von Megiddo im Jahr 1468 v. Chr. und die Niederlage des judäischen Königs Joschija vor dem gegen Megiddo heranrückenden Pharao Necho II. im Jahr 609 v. Chr.

b) Das samarische Bergland

Nach Süden öffnet sich die Ebene Jesreel in die kleine *Ebene von Dotan* (arab. *sahl ᶜarrābe*), die sich in einer zunächst in südwestlicher, dann in südöstlicher, schließlich in südlicher Richtung verlaufenden Depression fortsetzt. Dadurch läßt sich im *samarischen Bergland* eine nördliche und eine südliche Hälfte unterscheiden und innerhalb jeder Hälfte eine westliche, in sanften Wellen zur Küstenebene abfallende, und eine östliche, steiler zum Jordangraben hin abstürzende Bergpartie. Die Straße folgt seit alter Zeit bis heute dieser Linie. Der Einschnitt ist besonders markant im Sattel, der den nördlichen Berg *Ebal* (arab. *dschebel islāmīje*; 938 m) vom südlichen Berg *Garizim* (arab. *dschebel eṭ-ṭōr*; 868 m) trennt. Hier ist die Straße leicht zu beherrschen; kein Wunder daher, daß wir hier in biblischer Zeit die alte kanaanitische Festung *Sichem (tell balāṭa)* und heute *nāblus,* die größte arabische Stadt Palästinas, finden. Der Punkt ist um so wichtiger, als sich hier nicht nur der Handelsweg nach Süden fortsetzt, sondern der Einschnitt sich zugleich nach Osten in die kleine Ebene *sahl ᶜaskar* öffnet, aus der ein wasserreiches Tal, das *wādi fārᶜa,* zunächst in nordöstlicher, dann in südöstlicher Richtung die Verbindung mit dem Jordantal und mit der wichtigsten Jordanfurt herstellt.

c) Das judäische Bergland[3]

Während das galiläische Bergland durch die Ebene Jesreel scharf vom samarischen getrennt ist, geht dieses fast unmerklich in das jüdäische Bergland über. Ein Einschnitt ist allerdings gegeben durch die Ebene von *lubbān* und das *wādi sēlūn,* das vom biblischen Schilo (heute *sēlūn*) herabkommt und bei *lubbān* (dem biblischen Lebona, vgl. Ri 21,19) den Handelsweg kreuzt. Die moderne Autostraße windet sich hier in Serpentinen auf das judäische Bergland hinauf, dessen Höhen sich zwischen 700 und 1000 m bewegen. Auch im judäischen Bergland setzt sich die von der Straße benützte Furche fort und teilt dieses in eine östliche und eine westliche

Hälfte. Stellenweise ist das Tal so eng und einsam, daß der Weg bis in die jüngste Zeit nicht ungefährlich war. Nicht ohne Grund trägt der ungefähr auf dem 32. Breitengrad verlaufende Abschnitt bis zum heutigen Tag den Namen *wādi el-ḫarāmijje* («Räubertal»). Unweit südöstlich davon liegt die höchste Erhebung dieses Gebirgsabschnittes, der *tell el-ᶜaṣūr*, das biblische *Baal-Hazor* (2 Sam 13,23; 1016 m). Weiter südlich, im Stammgebiet von Benjamin, nimmt die Landschaft wieder mildere und freundlichere Züge an. Die auffallendsten Höhen sind westlich der Straße der *nebī samwīl* («Prophet Samuel»; 895 m), von den Kreuzfahrern Montjoie («Freudenberg») genannt, östlich der Straße der *tell el-fūl* (839 m), das biblische *Gibea* oder Gibea Sauls, die dominierende Residenz des ersten Königs von Israel, an deren Fuß sich heute schon die nördlichen Außenviertel von Jerusalem breit machen. Dieser Abschnitt des Gebirges endet mit dem Ölberg, und damit befinden wir uns dicht bei Jerusalem (vgl. S. 76f). Nach dem muslimischen Namen der Stadt Jerusalem heißt dieser Abschnitt des Gebirges auf arabisch *dschebel el-ḳuds* (Gebirge der Heiligen Stadt).

Von seinen Städten verdient vor allem das 9 km südlich von Jerusalem liegende *Betlehem* Erwähnung. Südlich von Jerusalem wird das Gebirge schmaler, die Küstenebene entsprechend breiter. Im *dschebel er-rāme* bei Hebron steigt das judäische Gebirge zu seiner höchsten Erhebung an (1028 m). Dieser Abschnitt des Gebirges wird nach dem arabischen Namen der ihn beherrschenden alten Stadt Hebron *dschebel el-chalīl* genannt. Er ist gut bewässert, hat ein gesundes, frisches Klima und ist seit der biblischen Zeit (vgl. Num 13,23–25) bis heute durch seinen Traubenreichtum berühmt. Nach Westen fällt das judäische Gebirge in Stufen zur Meeresebene ab (die bekannteste ist der «Aufstieg» von *Bet-Horon* [Jos 10,10], über den der traditionelle Weg von Jafo nach Jerusalem führt). Die kahlen Kalksteinhöhen des judäischen Gebirges sind das Ergebnis unbarmherziger Rodung während der arabisch-türkischen Zeit. In biblischer Zeit müssen sie bewaldet gewesen sein, was Ortsnamen wie *Kirjat-Jearim* («Waldstadt») vermuten lassen. In jüngster Zeit ist die Aufforstung israelischerseits stark vorangetrieben worden.

Die Übergangszone zwischen Gebirge und Küstenebene, im Alten Testament *Schefela* genannt (*šᵉfēlāh* = Niederung, vom Standpunkt der Gebirgsbewohner aus betrachtet), ist ein 300–400 m hohes, durch zahlreiche Täler aufgelockertes Hügelland; immer wieder kämpften die Israeliten und Philister heiß um diese Grenzzone zwischen ihren Siedlungsgebieten (vgl. 2 Chr 28,18). Neben dem Gebirge *(har)* und dem Südland *(negeb)* ist die Schefela eine der klassischen biblischen Landschaften (vgl. Jer 17,26; 32,44; 33,13). In biblischer Zeit scheint sie ein reicher Bestand an Maulbeerfeigenbäumen ausgezeichnet zu haben (1 Kön 10,27; 1 Chr 27,28; 2 Chr 1,15; 9,27; 1 Chr 27,28 werden auch Ölbäume erwähnt).

Gegen Osten stürzt das Gebirge Juda in wuchtigen Wellen gegen den Jordangraben ab, in der untersten Partie, dem Westufer des Toten Meeres entlang, fast als senkrechte Wand. Da diese Seite des Gebirges im Regenschatten liegt, trägt sie wüstenartigen Charakter: Es ist die berüchtigte *Wüste Juda*, in biblischer Zeit der beliebte Zufluchtsort der politischen Flüchtlinge wie der Gottsucher. Hier trieb sich David auf der Flucht vor Saul umher (1 Sam 23–26), hier bereiteten sich Johannes der Täufer (Lk 1,80) und Jesus (Mk 1,12f par.) auf ihr Wirken vor. In biblischer wie nachbiblischer Zeit bevölkerten sie zahlreiche Mönchsgemeinden. Die bedeutendste aus biblischer Zeit ist die Gemeinde von *Qumran*, aus christlicher Zeit das Kloster Mar Saba im Kidrontal. Die wichtigste Verbindung zwischen dem judäischen Gebirge und dem Jordangraben mitten durch die Wüste geht von Jerusalem nach Jericho durch das *wādi el-ḳelt* (vgl. Lk 10,30); sie wurde bis zum Ende der türkischen Zeit benützt. Erst unter dem britischen Mandat wurde eine weiter nach Süden ausholende Autostraße gebaut. Ein anderer Weg führt von Jericho und dem Nordwestufer des Toten Meeres durch die kleine Binnenebene *el-buḳēᶜa* (die durch das *wādi ḳumrān* entwässert

Abb. 1 *Die von den judäischen Höhen in Wellen zum Jordangraben abfallende Wüste Juda*

wird) nach Betlehem. Wo sich am Ostrand der Wüste Quellen finden, bilden sie Oasen mit tropischer Vegetation. Aus der Bibel sind die Oasen *Jericho* und *En-Gedi* berühmt, durch die neuere Forschung ist man auf die Oase *ᶜēn feschcha* bei *chirbet ḳumrān* aufmerksam geworden.

d) Der Negev
Südlich von Hebron geht das Kulturland in die majestätische Südwüste über. Ihr biblischer Name ist *negeb,* weshalb man heute in Anlehnung an die im Staat Israel gebräuchliche Aussprache allgemein einfach vom Negev spricht. *Beerscheba,* in biblischer Zeit der Umschlagplatz der Karawanen von der Wüste zum Kulturland, erscheint in den Texten des Alten Testaments als die südlichste israelitische Stadt (deshalb die geläufige Redensart «Von Dan bis Beerscheba»: Ri 20,1; 1 Sam 3,20; 2 Sam 3,10; 17,11; 24,2; 1 Kön 5,5 oder «von Beerscheba bis Dan»: 1 Chr 21,2; 2 Chr 30,5). Heute, im Zuge der Erforschung und Kolonisierung des Negev, ist Beerscheba eine mächtig aufstrebende israelische Stadt. Die Südwüste ihrerseits verliert sich in die Sinai-Halbinsel. Soweit sie zu Palästina gerechnet wird, hat sie ungefähr die Form eines auf die Spitze gestellten Dreiecks, dessen Basislinie ca. 110 km und dessen Höhe ca. 190 km mißt. Vom Beginn des Negev entspricht also die Distanz bis zu seiner Südspitze ungefähr derjenigen bis zur Nordspitze Palästinas. Befinden wir uns in Beerscheba nur noch 240 m ü. M., so steigt der Negev gegen Süden wieder bis auf 1035 m an (also auf die Höhe des judäischen Gebirges bei Hebron). Der Negev gliedert sich in mehr oder weniger parallel von Nordosten nach Südwesten verlaufende Kämme, die gegen Südosten steiler abfallen als gegen Nordwesten. An drei Stellen haben sich durch Erosion imposante Krater gebildet, die in Israel *maktēšīm* («Mörser») genannt werden: der «große Maktesch», der «kleine Maktesch» und der «hohe Maktesch», der weitaus größte. Die höchsten Randpunkte dieser Makteschim liegen bei 710, 540 und 1006 m.

3. Der Jordangraben,

wie der palästinische Abschnitt des großen Tertiär-Einbruchs (siehe III) genannt wird, setzt das Hochtal fort, das die

Bergketten Libanon und Antilibanon voneinander trennt (arabisch *el-bek̥āᶜ* genannt). Der auf Palästina entfallende Abschnitt des Grabens reicht vom Hermon bis zum Golf von *el-ᶜak̥aba* und wird durch das Tote Meer in zwei Hälften geteilt. Die nördliche Hälfte ist gekennzeichnet durch den Lauf des Jordan und den von ihm gebildeten See Gennesaret (Jordangraben im engeren Sinn des Wortes), die südliche Hälfte ist ein Wüstengraben.

Der *Jordan* entspringt in drei großartigen Quellen am Fuß des Hermon, dessen schneeiger Gipfel bis weit nach Galiläa hineinleuchtet. Die Bedeutung des hebräischen Namens *jardēn* ist umstritten. In der Bibel führt der Fluß immer den Artikel *(hajardēn)*, mit Ausnahme von Ijob 40,23 und Ps 42,7. Wegen seines starken Gefälles denkt man an das hebräische Verbum *jārad* = fließen, strömen (vgl. den Flußnamen Rhein von rinnen). Verbreiteter ist jedoch eine Ableitung aus dem Indogermanischen. Homer kennt einen Jardanos in Kreta. «Jordan» wäre also ein Gattungsname und würde einfach «Fluß» bedeuten. So würden auch biblische Wendungen wie «dieser Jordan» (Jos 4,22) oder «der Jordan von Jericho» (Num 26,3.63) am besten verständlich. Der heutige arabische Name ist *el-urdunn*, gebräuchlicher aber ist die Bezeichnung *esch-scherīᶜa* («die Tränke»).

Der nördlichste der drei Bäche, die den Jordan bilden, der *nahr el-h̥as̥bāni*, entspringt am Westrand des Hermon. Zu ihm gesellt sich am Südfuß des Hermon der bei *tell el-k̥ādi* (dem alttestamentlichen Dan) entspringende *nahr el-leddān* (israel. *nah̥al dān*). Beide vereinigen sich 43 m ü. M. mit dem aus Syrien kommenden *nahr bānjās*. Politisch liegt heute die erste Quelle auf libanesischem, die zweite auf israelischem, die dritte auf syrischem (bzw. [1967] israelisch besetztem) Hoheitsgebiet. Die östlichste der drei Quellen ist geschichtlich besonders berühmt geworden. Der Jordan stürzt hier als voller Strom aus der Grotte eines wilden Kalksteinriffes heraus. Das Naturwunder hat seit alten Zeiten die Menschen zur Verehrung göttlicher Kräfte angeregt.

Die Phönizier verehrten hier ihren Baal. Die Griechen weihten den Ort dem Naturgott Pan und nannten ihn Paneion, die benachbarte Stadt Paneas. Als Herodes der Ältere die ganze Gegend von Augustus zum Geschenk erhielt, errichtete er auf der Spitze des Felsenriffes zu Ehren seines Gönners einen Tempel aus weißem Marmor. Sein Sohn Herodes Philippus baute das alte Paneas zu einer neuen Stadt aus, die er zu Ehren des Kaisers und nach sich selbst *Cäsarea Philippi* benannte (s. u. S. 112). Die synoptischen Evangelien lokalisieren hier das Messiasbekenntnis des Petrus und die Verheißung des Petrusamtes (Mk 8,27–30; Mt 16,13–20).

Nach der Vereinigung der drei Quellen durcheilt der Fluß eine sehr fruchtbare Ebene, die ungefähr auf Meeresniveau liegt und tropische Vegetation aufweist. Bis vor kurzem bildete der Jordan hier in einer malariaverseuchten Gegend den kleinen *ḥūle-See* (arab. *baḥrat el-ḥūle*), den die Israelier nach der Staatsgründung von 1948 durch systematische Drainage trockengelegt haben. Von hier bis zu seiner Einmündung in den See Gennesaret überwindet der Jordan auf einer Strecke von 16 km ein Gefälle von 210 m (+2 bis −208 m). Von der Stelle an, wo die alte Straße nach Damaskus den Jordan überquerte («Brücke der Jakobstöchter»; arab. *dschisr benāt jaᶜḳūb*), bohrt er sich in einer tiefen, wilden Schlucht mit zahlreichen Stromschnellen durch das schwarze Basaltgestein südwärts und ergießt sich dann, durch eine von ihm selbst angeschwemmte Barre gehemmt, langsam in den See Gennesaret.

Der *See Gennesaret* liegt in einen regelrechten Kessel eingebettet, auf der Westseite von den Bergen von Galiläa, auf der Ostseite von den Höhen des transjordanischen Plateaus umklammert. Zu beiden Seiten sind die Ufer im Süden steiler als im Norden. Die einzige nennenswerte Öffnung zum Seebecken hin bildet, außer dem Jordantal am Nord- und am Südende, die kleine Ebene Gennesar am Nordwestufer des Sees, von der Verbindungstäler zu den obergaliläischen Bergen (Safed), zur galiläischen Binnenebene (vgl. S. 22) und

Abb. 2 *Blick von Kafarnaum nach Südwesten über den See Gennesaret. Im Hintergrund die Ebene Gennesar (rechter Bildrand), Magdala (Bildmitte) und Tiberias (linker Bildrand)*

nach Nazaret gehen. Die größte Nord-Süd-Länge des Sees beträgt 21 km, die größte Ost-West-Breite 12 km, seine maximale Tiefe 44 m, seine Gesamtoberfläche 168 qkm, sein Wasserspiegel liegt 208 m unter dem Mittelmeer. Das Wasser ist süß, klar und noch heute wie in biblischer Zeit sehr fischreich.

Aus der eigenartigen Lage des Sees ergeben sich die bekannten plötzlich auftretenden Stürme (vgl. Mt 8,23–27 par.; 14,24–33 par.). Tagsüber konzentriert sich in dem Trichter eine gewaltige Hitze (Temperaturen bis zu 50° sind im Sommer keine Seltenheit). Abends aber dringen die kühlen Winde vom Meer her ein und streichen über die galiläischen Berge. Sowie sie unter sich den heißen Kessel finden, stürzen sie, da die kalte Luft schwerer ist als die warme, mit Wucht in das Seebecken hinunter und peitschen das Wasser auf.

Der Jordan verläßt den See Gennesaret an dessen Südwestende und schlängelt sich nun in unzähligen Windungen südwärts zum Toten Meer. Auf der in der Luftlinie 110 km messenden Strecke zwischen See Gennesaret und Totem Meer fällt der Jordan wiederum von −208 auf −390 m. Zunächst ist das Tal auf eine Strecke von ca. 40 km breit und fruchtbar. Reichlich Wasser liefern noch Regen und Zuflüsse, von denen auf der Ostseite der unweit des Sees einmündende *Jarmuk* (arab. *scherīᶜat el-menāḏire*), auf der Westseite der aus der Ebene Jesreel heraustretende *nahr dschalūd* (israel. *naḥal ḥărōd* [vgl. S. 23]) die wichtigsten sind. Überdies ist der Jordan selbst hier noch leicht zugänglich, da sein Flußbett mehr oder weniger auf der Höhe der Talsohle liegt. Namentlich seit der jüdischen Kolonisierung ist dieser Abschnitt intensiv bebaut, «ein wasserreiches Land, wie der Garten Jahwes» (Gen 13,10), und die Wasserfülle speist zahlreiche Teiche für die Fischzucht.

Hingegen bieten die 70 km des *unteren Jordantales* (etwa von der israelisch-jordanischen Waffenstillstandslinie von 1949 an) ein ganz anderes Bild. Das Tal wird enger und tiefer zugleich, von Westen her drängen die Hänge des samarischen Berglandes näher heran, auf der Ostseite türmt sich das Bergland von Gilead auf. Die Gegend wird wüstenhaft, der Boden ist nicht mehr bebaut, der Pflanzenwuchs dürftig. Nach ungefähr weiteren 20 km öffnet sich der Graben wieder weiter und nimmt von beiden Seiten je einen physisch wie historisch wichtigen Zufluß auf: von Osten den *Jabbok* (arab.

nahr ez-zerḳā), von Westen das *wādi fārᶜa*, das bei der geschichtsreichen Furt von Adam (Jos 3,16; heute *dschisr eddāmje*) in den Jordan einmündet. In seinem untersten Abschnitt ist der Jordangraben ungefähr gleich breit wie lang, so daß er wie ein Kreis aussieht, weshalb die Bibel dafür den Ausdruck *kikkār* («Kreis») gebraucht.[4] Hier fließt der Jordan nicht mehr wie im Norden auf dem Niveau der Talsohle. Diese bildet vielmehr zu beiden Seiten des Flusses eine breite Terrasse, die auf arabisch *el-ghōr* («Bodensenkung, Tiefe») genannt wird. Von hier bricht sich der ausgewaschene Mergelboden in geisterhaften Formen zum Flußbett hinunter. Dieser Abfall heißt bei den Arabern *ḳaṭṭāra* («Buckellandschaft»). Nach einigen hundert Metern stehen wir am steilen Ufer des Jordan, der während seines Laufes durch den lehmigen Boden immer mehr eine gelbliche Farbe angenommen hat. Nur das unmittelbare Ufer des Flusses ist mit tropischem Dickicht besetzt, in dem besonders salzliebende Arten wie die Jordantamariske vertreten sind und in dem zur Zeit des Jeremia noch Löwen hausten (Jer 49,19; 50,44, vgl. 12,5); heute sind dort noch Wildschweine anzutreffen. Im Alten Testament steht dafür die Bezeichnung «die Pracht des Jordan» (Sach 11,3), von den Arabern wird es heute *ez-zōr* («Buschwald, Tamariskenhain») genannt. So nimmt sich der Jordanlauf aus der Vogelschau aus wie ein schwarzes Band, durch das sich der silberne Faden des Jordan schlängelt.

Nicht dicht am Jordan, sondern auf der erhöhten Mergelterrasse des *ghōr,* aber immer noch unter Meeresniveau (Bet-Schean −130 m, Jericho −250 m) lagen nach Ausweis der neueren Archäologie die ältesten uns heute bekannten städtischen Siedlungen nicht nur Palästinas, sondern der Welt überhaupt. Ihre Gründung wurde ermöglicht durch Quellen, die Oasen mit tropischer Vegetation bilden. Die weitaus größte und bedeutendste dieser Oasen ist *Jericho*. Mit ihren üppigen Beständen an Dattelpalmen, ihren Orangenhainen und Bananengärten hebt sie sich in frappantem Gegensatz von der sie umgebenden nackten Wüste ab.

Der Einfluß des *Toten Meeres* macht sich schon einige Kilometer flußaufwärts bemerkbar, was in der Mosaikkarte von Madaba (6. Jh. n. Chr.) dadurch angedeutet wird, daß die Fische, die stromabwärts schwimmen, kurz vor der Einmündung des Jordan ins Tote Meer entsetzt wieder umkehren. Das Tote Meer ist zweifellos das seltsamste Gewässer der ganzen Erdoberfläche. Es ist 78 km lang, seine größte Breite beträgt 17–18 km,[5] seine größte Tiefe ca. 400 m, seine Gesamtoberfläche (schwankend) bewegt sich um 1000 qkm. Der Wasserspiegel liegt durchschnittlich −395 m tief (daß er unter dem Niveau des Mittelmeeres liegt, wurde erst 1837 entdeckt). Eine amboßförmige Halbinsel, die vom Ostufer aus bis weit über die Mitte des Wasserbeckens vorstößt und von den Arabern *lisān* («Zunge») genannt wird, teilt das Meer in zwei Teile, von denen nur der nördliche die oben erwähnte Tiefe aufweist, während der südliche lediglich einige Meter tief ist. Der Name Totes Meer ist nicht biblisch; er deutet darauf hin, daß infolge des hohen Salzgehalts in diesem Binnenmeer jedes höhere tierische und pflanzliche Leben fehlt. Die biblischen Namen sind «Wüstenmeer» (des südlich sich anschließenden Wüstengrabens der Araba wegen), «östliches Meer» (zum Unterschied vom Mittelmeer, dem großen oder westlichen Meer) oder «Salzmeer». Der heutige arabische Name *baḥr lūṭ* spielt auf die Loterzählung (Gen 19,23–29) an. Die Erinnerung an die Lotgeschichte lebt auch weiter in einer einzigartigen Naturerscheinung, dem mehr als 10 km langen und 2–3 km breiten Salzberg am Südwestufer des Toten Meeres, der teilweise aus reinem Kochsalz besteht und arabisch *dschebel usdum* («Berg von Sodom») heißt. Der biblische Name *Sodom* wurde nach 1948 von der israelischen Industrieanlage *s^edōm* am Südende des Meeres aufgenommen.

Der Salzgehalt des Toten Meeres beträgt ca. 25% und ist damit rund achtmal so groß wie der des Ozeans. Diese Erscheinung ist dadurch bedingt, daß das Tote Meer keinen Abfluß hat. Dadurch wurde der Salzgehalt des Binnenmeeres, das in früherer Zeit vermutlich ein Arm des Mittelmeeres war (vgl. S. 17f), fortwährend angereichert, um so mehr, als der Jordan eine mit Salz getränkte Landschaft durchfließt. Der Wasserspiegel bleibt immer ungefähr der gleiche, weil so viel Wasser verdunstet wie einfließt (täglich ca. 6,5 Millionen Tonnen). Um die Minerale zu nutzen, wird allerdings heute besonders auf israelischer Seite diese Verdunstung systematisch betrieben, was bereits eine merkliche Verkleinerung des Toten Meeres auf seiner Südseite zur Folge hat. Diese wird noch dadurch beschleunigt, daß das Wasser des Jordan schon in seinem Oberlauf und am See Gennesaret abgezweigt wird. Statt der ursprünglichen 1,2 Milliarden Kubikmeter fließen jetzt (1980) jährlich nur noch 0,2 Milliarden Kubikmeter Wasser in das Tote Meer.[6] Zur Zeit werden Kochsalz, Kali, Brom und Magnesium gewonnen. Die Vorräte an Brom werden auf 850 Millionen Tonnen, jene an Magnesium auf 24 Milliarden Tonnen geschätzt. Die Jahresproduktion an Kali überstieg 1966 schon 600000 t und ist seither weiter gesteigert worden. Heute wird das Tote Meer (wie schon im Altertum) auch für Heilbäder genutzt.

Da die Lebensbedingungen am Toten Meer sehr hart sind, ist dessen unmittelbare Umgebung nie dicht bevölkert gewesen. Allerdings weiß die Bibel aus der Frühzeit von fünf Städten zu berichten, die später (mit Ausnahme von einer) in einer Katastrophe untergegangen sein sollen: Sodom, Gomorra, Adma, Zebojim und Bela bzw. Zoar (Gen 14,2.8; 19,24–28), und die Ausgrabungen von *telēlāt ghassūl* haben für das 4. Jt. v. Chr. eine Kultur von erstaunlicher Höhe geoffenbart (vgl. S. 47.138). In biblischer Zeit herrschte sicher Leben in den Oasen *En-Gedi* und *En-Eglajim* (Ez 47,10) am Westufer des Toten Meeres (die Ausgrabungen in En-Gedi haben eine mächtige Kultanlage aus dem 4. Jt. v. Chr. und fünf Besiedlungsphasen von der Zeit des Joschija [7. Jh.] bis in die byzantinische Zeit freigelegt). Heute wissen wir auch, daß in *Qumran* am Nordwestufer des Toten Meeres zwischen dem 2. Jh. v. Chr. und dem 1. Jh. n. Chr. eine jüdische Ordensgemeinde lebte (vgl. S. 27.142f). In der Oase von En-Gedi, die in biblischer Zeit für ihre Weinberge berühmt war (Hld 1,14), werden heute wieder Dattelpalmen, Frühgemüse und tropische Kulturen gezogen.

Das Tote Meer setzt sich in einem Wüstengraben fort, der heute *el-ᶜaraba* genannt wird (in der Bibel wird die Bezeichnung *hăᶜărābāh* für den Jordangraben nördlich des Toten Meeres verwendet). Er verläuft zwischen dem palästinischen Negev und dem Hochland von Edom und mißt in seiner ganzen Länge von der Südspitze des Toten Meeres bis zur Golfspitze von *el-ᶜak̥aba* (Elat) nahezu 180 km. Es lassen sich darin drei ungleiche Teile unterscheiden: die ersten 15 km südlich des Toten Meeres bilden den schlammigen *Salzsumpf von Sodom*. Er ist mit dichtem, salzliebendem Buschwerk überwachsen und größtenteils gänzlich unzugänglich. Auf dieser Strecke steigt der Graben von ca. −390 auf ca. −250 m an. In der *mittleren Araba* setzt sich die Steigung von −250 auf +230 m fort, allerdings fast unmerklich. Denn dieser Abschnitt ist ca. 90 km lang; er endet beim Höhenkamm *šᵉlūh̥at nōs̥āh*. Von hier senkt sich die *südliche Araba* ebenso sanft wieder bis zum Meeresniveau am Golf von *el-ᶜak̥aba* (Elat). Der größte Teil des Talgrundes ist mit hartem Kieselgeröll übersät, da und dort aber finden sich Salzpfannen mit feinerem Boden, Grundwasser und salzliebender Tropenflora.

4. Das Ostjordanland

Das Ostjordanland bildet ein durchschnittlich 800 m hohes Plateau, das im Westen steil gegen den Jordangraben abfällt, im Osten in die syrisch-arabische Wüste übergeht und von Norden nach Süden und von Westen nach Osten immer ärmer an Regen wird. Vier mächtige Quertäler gliedern es in fünf Abschnitte. Der nördlichste, gegenüber dem *h̥ūle*-Bekken und dem See Gennesaret, ist der *dschōlān* (Golan, die römische Gaulanitis). Er bildet den westlichen Teil des durch seine Eichenwälder (Jes 2,13; Ez 27,6; Sach 11,2) und sein schönes Vieh (Dtn 32,14; Ps 22,13; Ez 39,18; Am 4,1) berühmten biblischen Landes Baschan. Diese vulkanische, ca. 1000 m hohe, mit ihren erloschenen Kratern über 1200 m ansteigende Landschaft fällt nach Osten in eine nur noch ca. 600 m hohe, kornreiche Ebene ab, die den bezeichnenden Namen *en-nuk̥ra* («die Grube») trägt. Östlich schließt sich das dünn besiedelte Lavafeld *el-ledschā* («die Zuflucht» [für dubiose Leute], die ehemalige Trachonitis), südöstlich das Basaltgebirge *dschebel ed-drūz*, der biblische Hauran (vgl. Ez 47,16–18) an, nach dem die römische Landschaft Auranitis benannt war und dessen höchster Gipfel sich auf 1839 m erhebt.

Der *Jarmuk* (arab. *scherīᶜat el-menād̥ire*) trennt den *dschōlān* vom waldreichen *ᶜadschlūn*. Sein höchster Punkt erreicht 1261 m. Von der 1023 m hohen, im Jahr 1184 gebauten arabischen Festung *k̥alᶜat er-rabad̥* kann man den See Gennesaret sehen. Der *ᶜadschlūn* entspricht dem biblischen Land Gilead, eine freundliche Landschaft, von alters berühmt wegen ihrer ausgedehnten Wälder (Jer 22,6f), in denen viele heilkräftige Kräuter wuchsen (Gen 37,25; Jer 8,22; 46,11). Imposante Ruinen beim Dorf *dscherasch* bezeugen heute noch, daß die Dekapolisstadt *Gerasa* von der hellenistischen bis zur byzantinischen Zeit die Hauptstadt dieser Landschaft war.

Der *ᶜadschlūn* wird südlich begrenzt durch den *Jabbok* (arab. *nahr ez-zerk̥ā*). Dieser entspringt in der Nähe der früheren Ammoniterhauptstadt Rabbat Ammon (heute *ᶜammān*), wendet sich von dort nach Norden und Nordwesten, schlägt südlich von Gerasa eine westliche Richtung ein und windet sich in einem tiefeingeschnittenen Flußbett dem Jordan zu, den er bei der Furt *ed-dāmje* erreicht. Dabei überwindet er ein Gefälle von rund 1100 m (von +758 bis −350). Die Landschaft südlich des Jabbok ist die *belk̥aᶜ* («baumloses Land») mit ihren weiten Hochflächen (höchster Punkt 1096 m). In der *belk̥aᶜ* siedelten vormals die Ammoni-

Abb. 3 *Von den jonischen Säulen, die das Forum von Gerasa umsäumten, sind die meisten stehengeblieben*

ter. Von einem Ausläufer des westlichen Randgebirges der *belk̥a*^{c}, vom Berg *Nebo,* sah nach biblischer Überlieferung Mose das Land Kanaan und starb (Dtn 32,49; 34,1). Die beiden Gipfel des Nebo, *dschebel en-nebā* (835 m) und *rās sijāgha* (710 m), gewähren einen unvergeßlichen Blick auf Totes Meer und Jordantal.

Die Schlucht des *Arnon* (arab. *sēl el-mōdschib*) trennt die *belk̥a*^{c} vom ehemaligen Siedlungsgebiet der Moabiter. Er nimmt auf der Hochebene der syrisch-arabischen Wüste mehrere Zuflüsse auf und führt die winterlichen Regenwasser durch ein tief in das Gebirge eingeschnittenes Bett, das gegen Ende die Gestalt eines Cañons aufweist, zum Toten Meer. Die Höhendifferenz zwischen dem Quellgebiet und dem Toten Meer beträgt ca. 1300 m. Im Süden wurde das Gebiet der Moabiter begrenzt durch den biblischen Bach Sered (Num 21,12; Dtn 2,13f), das heutige *wādi el-ḫesā,* das eine ebenso tiefe Schlucht bildet wie der Arnon und von Süden her ins Tote Meer einmündet. Heute wird das Gebiet zwischen den zwei Flüssen nach seinem wichtigsten Ort *el-kerak* genannt. Die trutzige Stadt *kerak* besitzt im *wādi el-kerak,* das sein Geröll auf der *lisān*-Halbinsel ablädt, eine ausgezeichnete natürliche Befestigung. Nicht zufällig finden wir dort heute noch eine der besterhaltenen Kreuzfahrerburgen vor. Nördlich des *wādi el-kerak* präsentiert sich das Moabiterland als eine Fortsetzung der *belḳa*ᶜ mit einer durchschnittlichen Höhe von ca. 800 m. Allerdings wird das Klima immer mehr steppenhaft. Südlich des *wādi el-kerak* hingegen steigt das Plateau auf 1305 m an, südlich des *wādi el-ḫesā* sogar auf 1641 m. Nach Osten verliert sich das Gebirge in der syrisch-arabischen Wüste, nach Westen fällt es steil gegen die Araba ab. Immer mehr beherrscht der rote Sandstein das Landschaftsbild und erinnert daran, daß wir uns im Lande *Edom,* dem «roten Land» (hebr. *ʾādōm* = rot) befinden.[7] Vor allem die Ruinen der Stadt *Petra* machen heute diese Gegend zu einem begehrten touristischen Ziel.

V.

KLIMA

Das Klima Palästinas hat sich seit der biblischen Zeit bis heute nicht wesentlich verändert. Es ist ein äußerst gesundes, subtropisches (im Jordangraben tropisches) Klima mit kürzeren Sommertagen und längeren Wintertagen als in der gemäßigten Zone (am längsten Tag scheint die Sonne 14, am kürzesten Tag 10 Stunden. Auffällig ist die kurze Dauer der Dämmerung; nach Sonnenuntergang bricht fast plötzlich die Nacht herein).

Die Bibel selbst enthält mannigfache Hinweise zum Klima Palästinas. So zeigt die Verheißung von Gen 8,22:

> «Solang die Erdentage dauern,
> soll Saat und Ernte, Frost und Hitze,
> Sommer und Winter, Tag und Nacht
> inskünftig nicht aufhören»,

daß Palästina nur zwei Jahreszeiten kennt: Winter und Sommer. Der Winter (hebr. *ḥōref,* arab. *schitāʾ*) wird dargestellt durch die Regenzeit, der Sommer (hebr. *ḳajiṣ,* arab. *ṣaif*) durch die regenlose Zeit. Die Regenzeit beginnt im Oktober/November mit dem Frühregen (hebr. *jōreh,* vgl. Dtn 11,14; Jer 5,24; Joël 2,23) und endet im März/April mit dem kostbaren Spätregen (hebr. *malkōš,* wie oben und Hos 6,3). Darum fällt auch die Aussaat in den Winter, denn sie setzt die durch den ersten Regen aufgeweichte Erde voraus. Die Ernte wiederum liegt natürlich im Sommer. Von daher wird verständlich, warum die Juden bis zum heutigen Tag das Jahr im Herbst beginnen. Mit dem Einbringen der Weinernte fand der Jahreslauf seinen Abschluß (vgl. Ex 23,16; 34,22), und das Wiedererwachen des Lebens mit dem Einbruch der Regenzeit lud zu einem neuen Anfang ein. Die stärksten Regengüsse, begleitet von beißenden Winden, fallen im Dezember/Januar. Der Januar ist der kälteste Monat. Durchschnittlich ist während der Regenperiode mit ungefähr 60 Regentagen zu rechnen. So wertvoll Früh- und Spätregen sind, stellen sie doch kaum ein Zehntel der gesamten Regenmenge dar. Diese beträgt im Jahresdurchschnitt in *jāfā* 600, in Jerusalem 560 mm,[8] in *nāblus* 700, in Beerscheba 200, in Jericho 100 mm. Schneefall ist selten, aber auch hierin gibt es Fälle, die sowohl in der Menge wie im Datum alle Regeln sprengen. So lagen gelegentlich Ende Januar in Jerusalem 40 cm, an der Küste und selbst im Jordantal 10 cm Schnee, und am 22. März 1966 erlebte der Verfasser zwischen *maᶜān* und Petra in Südtransjordanien einen so heftigen Schneefall, daß für 24 Stunden die Fahrstraße gesperrt werden mußte.

Auf die Regenperiode folgt eine üppige Blütezeit (vgl. Hld 2,11ff), in der ganz Palästina und selbst die Wüste einem bunten Teppich gleicht, dem aber die einsetzende Hitze ein rasches Ende bereitet (vgl. Mt 6,30). Dank den am Nachmittag und Abend regelmäßig auftretenden frischen Westwinden (vgl. Gen 3,8) ist das Klima auch in den heißesten Monaten (Juli bis September), besonders auf dem palästinischen Gebirge und auf dem transjordanischen Hochland, durchaus erträglich. Allerdings wird das Land im Mai und im September/Oktober tageweise von einem lähmenden heißen Wüstenwind (arab. *scherḳije* = der östliche [Wind], im Volksmund aber gewöhnlich *chamsīn* genannt[9]) heimgesucht, der an den Kulturen verheerenden Schaden anrichten kann (vgl. Jes 40,7; Hos 13,15; Ps 103,16).

An die Stelle des Regens tritt im Sommer der Tau (vgl. Gen 27,28; Dtn 33,28; Hos 14,6), der sich in der Küstenebene von Juni bis August, im Bergland im September am ausgiebigsten niederschlägt.[10] Die mittleren Jahrestemperaturen liegen in der Küstenebene bei 19–20°, in Jerusalem bei 16°, in Nazaret bei 18,5°, in Tiberias bei 22°. Die klimatischen Unterschiede sind somit je nach der Gegend des Landes sehr groß. Kaum ein Land auf der Erde weist auf so kleinem Raum so große landschaftliche und klimatische Gegensätze auf. Darum liegen auch die Erntezeiten sehr verschieden. Im Jordantal mag die Gerstenernte um den 10. April beginnen, in der Küstenebene liegt sie in der zweiten Aprilhälfte, auf dem Gebirge einen vollen Monat später. Das gleiche gilt von der Weizenernte, die mit etwa zwei Wochen Abstand auf die Gerstenernte folgt.

VI.

BODENSCHÄTZE, FLORA, FAUNA

1. Bodenschätze

Nach Dtn 8,9 ist Palästina «ein Land, dessen Steine Eisen sind und wo du Erz gräbst aus den Bergen». Aus der Bibel ist jedoch nur die Erzverhüttung Salomos im Jordangraben bekannt (1 Kön 7,46; das hier genannte Sartan muß nach Jos 3,16 in der Nähe der *dāmje*-Furt gesucht werden), und aus Gen 4,22 zu schließen, brachte man im Israel der Königszeit Erzarbeiten sowohl mit den Kenitern im äußersten Süden Palästinas als auch mit den Tibarenern in Phrygien in Verbindung. Archäologisch nachgewiesen sind Kupfer- und Eisengruben in Transjordanien und in der Araba (namentlich *schōbek* in den Edomiterbergen, ca. 20 km nördlich von Petra, und nordwestlich davon in der Araba *chirbet fēnān* [= Punon Num 33,42 f]), ferner die Schmelzöfen von *el-meneᶜīje* (israel. *timnaᶜ*) ca. 25 km nördlich der Golfspitze von *el-ᶜaḳaba* (Elat). Die letztgenannten werden zu Unrecht als «Kupferminen Salomos» bezeichnet. Sie waren nur bis zum 11. Jh. v. Chr. in Betrieb. Ein in der Nähe entdeckter Hathor-Tempel aus dem 13./12. Jh. beweist, daß die Minen von den Pharaonen mit Hilfe der Edomiter oder Midianiter ausgebeutet wurden. Diese Kupfervorkommen, auf ca. 20 Millionen Tonnen geschätzt, werden seit 1958 wieder ausgebeutet (jährlich ca. 15 000 Tonnen). Ablagerungen von Eisenerz wurden in Galiläa gefunden. Wenn wir jedoch hören, daß die Philister gegenüber den Israeliten ein Eisenmonopol besaßen (1 Sam 13,19 f), so bedeutet dies zweifellos, daß sie die Häfen kontrollierten, über die die Metalle (aus Kleinasien und Zypern) eingeführt wurden. Das Tote Meer enthält noch Milliarden Tonnen Kochsalz, Magnesiumchlorid, Kaliumchlorid und Magnesiumbromide. Im Negev finden sich Phosphate, Kupfer, Mangan, Feldspat, Glassand, Flinttonerde, Kaolin, asphalthaltiges Gestein, Granit und Gips. 1955 wurde bei Aschkelon das erste Erdöl gefunden. Seither sind zahlreiche weitere Fundstätten dazugekommen.

2. Flora

Die Texte des Alten und Neuen Testaments bieten eine Fülle von Mitteilungen über Flora und Fauna Palästinas, wenn auch die biblischen Bezeichnungen nicht immer mit Sicherheit gedeutet werden können. Ein besonders köstliches Spiegelbild der Pflanzen- und Tierwelt Palästinas ist das Hohelied. Es redet von Hirsch und Gazelle, Taube und Turteltaube, Fuchs, Löwe und Panther, Äpfeln und Granaten, Feigenbaum und Dattelpalme, Zeder und Zypresse, Weinberg und Nußgarten, Narzissen und Lilien.

Die klassischen Erträge des biblischen Palästina sind Getreide, Wein und Öl, dazu Feigen, Granatäpfel und Honig (vgl. Num 13,23; Dtn 8,8), Maulbeerfeigen, Datteln, Mandeln und Äpfel. Der Waldbestand Palästinas ist seit der Landnahme (vgl. S. 66) bis zur arabisch-türkischen Zeit immer mehr zurückgegangen. An Waldbäumen erwähnt die Bibel Eiche, Terebinthe, Zypresse (die Zeder ist auf dem Libanon beheimatet); an Wüstengewächsen Tamariske, Akazie, Ginsterstrauch; an Blumen Narzisse (Rose?), Lilie, Ysop.[11] Seit der jüdischen Einwanderung ist das judäische Bergland mit Kiefernwäldern aufgeforstet worden; Akazienbäume wurden im Negev, Eukalyptusbäume in allen Teilen des Landes gepflanzt. Für den Anbau von Zitrusfrüchten hat sich besonders die Küstenebene als hervorragend geeignet erwiesen. Der unter dem Islam fast gänzlich eingegangene Weinbau ist wieder mächtig ausgeweitet, die Qualität verbessert worden. In der Küstenebene und im Jordantal werden Bananen, Avocados, Guavas und Mangos gezüchtet. Äpfel und Kirschen, Pfirsiche und Aprikosen, Tabak und Flachs,

Baumwolle, Erdnüsse, Zuckerrüben und Kakteen werden angebaut.

3. Fauna

Die hilfreichen Gefährten des Menschen in biblischer Zeit waren Kamel, Esel, Rind, Schaf, Ziege, Pferd, Hund. An wildlebenden Tieren werden in der Bibel erwähnt: Löwe, Panther, Bär, Wolf, Hyäne, Schakal, Fuchs, Wildschwein, Hirsch, Gazelle, zahlreiche Arten von Vögeln, Insekten (besonders Skorpione) und Reptilien (besonders Schlangen).[12] Das Alte Testament kennt zehn verschiedene Bezeichnungen für Heuschrecken, ein Hinweis, wie verbreitet und gefürchtet die Heuschrecken waren und zu welcher Plage sie werden konnten. Wie in biblischer Zeit wird heute noch der Fischreichtum des Sees Gennesaret genützt. Dazu kommen im modernen Israel zahlreiche künstliche Fischteiche. Ebenso kam die Rindviehzucht wieder zu Ehren, hingegen verschwinden allmählich Pferd und Esel, und das Kamel findet sich in großem Stil nur noch bei den Beduinen des Negev und Transjordaniens. Das Wildschwein wird heute noch gejagt; Wölfe und Leoparden sind gelegentlich noch in den Wüsten und vor allem im Naturschutzgebiet von En Gedi zu finden. Heute werden in Palästina ca. 400 Arten von Vögeln gezählt. Die bunteste Vogelwelt findet sich im Gebiet des ehemaligen *ḫūle*-Sees, das zum Teil Naturschutzgebiet ist.

ZWEITER TEIL

HISTORISCHE GEOGRAPHIE

I.

VORBIBLISCHE ZEIT

Palästina ist uraltes Siedlungsgebiet der Menschheit. Legt man die in Frankreich gewonnene Gliederung der Altsteinzeit zugrunde, so sind im *Altpaläolithikum* auch in Palästina Chelléen und Acheuléen mit Faustkeilen vertreten, die dann im Levalloiso-Moustérien von der Klinge verdrängt werden.[12a] Dieser Zeit scheinen die ältesten Skelettfunde am Karmel und in Galiläa anzugehören. Doch können die verschiedenen Funde von Frühmenschen, die aus Palästina bekannt sind, schwer auf eine Linie gebracht werden. Einige davon sind echte Neandertaler, bei anderen – z. B. denen vom Berge Karmel – scheint es sich um eine Kreuzung des Neandertalers mit dem Homo sapiens zu handeln. Die Phasen des *Jungpaläolithikums* (Aurignacien, Solutréen, Magdalénien) sind zwar in Palästina auch vertreten, laufen aber wahrscheinlich den europäischen voraus und zeigen eine verschiedene materielle Kultur.

Auch in Palästina beginnt die Mittelsteinzeit, das *Mesolithikum*, um 10000. Es dauert dort aber nur bis ca. 8000/7000 und hat einen eigenen Kulturtyp ausgebildet, der nach dem Fundort *wādi en-nāṭūf* Natoufien genannt wird. Sichelklingen aus Stein und Sichelhefte aus Knochen lassen erkennen, daß in dieser Zeit in Palästina bereits Getreide angebaut wurde. Hand in Hand mit dem beginnenden Ackerbau ging der Bau der ersten Häuser, dem bald die Befestigung der Siedlung folgt (so in *ᶜēnan* [arab. *ᶜen mallāḥa*] im *ḥūle*-Becken, in *abū ghōsch* bei Jerusalem und in Jericho (s. Abb. 16, S. 139).[12b]

In der Jungsteinzeit, dem *Neolithikum* (ca. 8000–4500),

läßt sich eine vorkeramische und eine keramische Phase unterscheiden. Die Erfindung, aus Lehm und Wasser Ton zu bereiten und daraus Gefäße zu brennen, gehört zu den großen Ereignissen der menschlichen Kulturgeschichte. Wann sie in Palästina aufkam, kann schon deshalb nicht genau angegeben werden, weil die Keramik nicht in allen Gegenden gleichzeitig auftritt, vielmehr im nördlichen Küstenabschnitt und im Jordantal früher als zum Beispiel im judäischen Bergland.

In der keramischen Phase des Neolithikums entwickelte sich eine für das Land charakteristische Kulturform, der am Ausgang des Jarmuktals (israel. *ša^{c}ar haggōlān*) entdeckte Yarmoukien. Die damals im dichtbevölkerten Dreieck zwischen See Gennesaret, Jordan und Jarmuk lebenden Menschen ernährten sich von Ackerbau, Fischfang und Jagd, verstanden zu spinnen und zu weben und besaßen ästhetischen Sinn, wie die mit Fischgratmuster verzierte Keramik und Schmucksachen aus Stein, Knochen und Muscheln beweisen.

Spätestens in die Zeit des Neolithikums, wenn nicht schon früher, fällt auch die Domestizierung von Tieren, und sie machte im Chalkolithikum (s. u.) noch erhebliche Fortschritte.[13] Sobald der Mensch durch den Ackerbau seine Ernährung sichergestellt hatte, empfand er keine Notwendigkeit mehr, die erbeuteten Tiere sogleich zu töten. Diese begannen sich in seiner Obhut zu vermehren, und aus der ursprünglichen Gefangenschaft wurde ein friedliches Zusammenleben zwischen Mensch und Tier. Das Tier war fortan nicht mehr eine bloße Reserve an Fleisch, vielmehr lernte der Mensch, auch die Produkte der Tiere wie Milch und Wolle sowie ihre Arbeits- und Tragkraft zu nutzen.

Nach den Tierknochen zu schließen, die bei Ausgrabungen gefunden wurden, scheint der *Hund* das erste domestizierte Tier gewesen zu sein. Seine Zähmung dürfte schon im Mesolithikum erfolgt sein. Die Domestizierung der *Ziege* ist seit dem 7. Jt. v. Chr., also seit dem vorkeramischen Neolithikum bezeugt, während das *Schaf*, das später vorzugsweise den

Lebensunterhalt des vorderorientalischen Menschen bestreiten sollte, in Palästina offenbar nicht vor dem 4. Jt. gezüchtet wurde. Hingegen muß die Zähmung des *Rindviehs* in das 6., wenn nicht schon in das 7. Jt. v. Chr. angesetzt werden. Dasselbe scheint für das *Schwein* zu gelten. Wenig Sicheres wissen wir über *Esel* und *Katze*. Bei den Ausgrabungen von Beerscheba glaubt man ein *Pferd* aus dem 4. Jt. v. Chr. festgestellt zu haben. Im übrigen aber wurde das Pferd erst gegen 1700 v. Chr. von den Hyksos (s. u.) eingeführt. Ebenso dürfte es das gezähmte *Kamel* in Palästina nicht vor dem 2. Jt. v. Chr. gegeben haben.

Dem Neolithikum, und zwar wahrscheinlich seiner vorkeramischen Phase, gehört auch die sogenannte *Megalithkultur* an, die sich namentlich in Gräbern von mächtiger Bauart (Dolmen) manifestiert.[14] Hunderte solcher Megalithgräber finden sich konzentriert im obersten Jordantal und im *ḫ̊ūle*-Becken (besonders beim Kibbutz Schamir an der [bis 1967] israelisch-syrischen Grenze), Tausende über die benachbarte Landschaft *dschōlān* (vgl. S. 36) verstreut.[15] Als die Israeliten ins Land kamen, wußten sie diese sonderbaren Gebilde nicht anders zu deuten, als daß in der Urzeit einst Riesen im Lande gelebt haben müßten (vgl. Gen 6,1–4; Dtn 3,11).

Den Übergang zwischen dem Neolithikum und der Bronzezeit bildet das *Chalkolithikum* (Kupfersteinzeit, ca. 4500–3200). Wie der Name andeutet, ist in dieser Zeit das Kupfer zwar schon bekannt, es ist aber noch so selten und deshalb so kostbar, daß die meisten Geräte noch immer aus Stein hergestellt werden. Eine besondere Phase des Chalkolithikums ist der Ghassoulien (benannt nach dem in *telēlāt ghassūl* nordöstlich des Toten Meeres festgestellten Kulturtyp), der in den mittleren Jahrhunderten des 4. Jt. (aber auch noch später) in Erscheinung tritt und sich durch gut gebaute Häuser aus getrockneten Lehmziegeln, mehrfarbige Freskomalereien und hausförmige Ossuarien auszeichnet. In der Folgezeit sollte die Malerei in Palästina sich nie mehr zu dieser Vollkommenheit erheben.

Gegen Ende des 4. Jt. beginnt in Palästina die *Bronzezeit,* die bis ca. 1200 v. Chr. dauert. In dieser Zeit erhält das Land völkisch und kulturell das Gesicht, das sich den Israeliten bei der Landnahme bot. Sowohl die biblischen Berichte als auch das Zeugnis der Archäologie lassen erkennen, daß Palästina zur Zeit der israelitischen Landnahme am Ende der Bronzezeit ein voll besiedeltes Land war. Kulturgeschichtlich läßt sich die Bronzezeit in drei große Phasen, die Früh-, Mittel- und Spätbronzezeit (oder auch erste, zweite und dritte Bronzezeit), einteilen, von denen jede sich wieder in verschiedene Teilperioden differenzieren läßt.

Die *Frühbronzezeit* dauerte von ca. 3100 bis 2200 v. Chr. Obwohl sie das Ergebnis verschiedener Einwanderergruppen ist, die sich gegen Ende des 4. Jt. in Palästina niederließen, erweist sie sich doch als eine im großen ganzen einheitliche Kultur. Das politisch-kulturelle Gesicht des Landes ist geprägt durch ein System von Stadtstaaten, von denen offenbar jeder wieder Mittelpunkt einer Anzahl kleinerer Siedlungen ist (die Bibel redet wiederholt von «Töchtern» von Städten, d. h. von Tochterstädten, z. B. Num 21,25; Jos 15,45.47; 17,11, oder von ihren «Gehöften» [*ḫ̊ăṣ̊ērīm*], Jos 13,23 u. ö.). Wahrscheinlich – in Ermangelung literarischer Dokumente kann dies nicht mit Sicherheit behauptet werden – war die Bevölkerung in dieser Zeit schon semitisch.

Während man den allmählichen Übergang zu der um 1900 einsetzenden *Mittelbronzekultur* früher auf ein neu auftretendes Bevölkerungselement, die Amoriter, zurückführte, ist diese Sicht neuerdings stark in Frage gestellt worden.[16] Nach der Amoriterhypothese wäre die Frühbronzekultur durch aus dem Osten eindringende Halbnomaden unterbrochen worden. Lange Zeit hindurch hätten diese Leute ihre halbnomadischen Lebens- und Wirtschaftsformen beibehalten, ehe sie die Stadtkultur Palästinas übernahmen. Allerdings läßt sich dies archäologisch nur schwer nachweisen, so daß die Periode von ca. 2300 bis 1900 der Geschichtswissenschaft als eine dunkle Zeit erscheint.

1 Am Nil

2 Das Land Goschen

3 Sinai, Manna-Tal

4 Oase feran

5 Frauen in Tracht

6 Sinai, Aufstieg zum Moseberg

7 Nazaret, Karawanserei

8 Jordan am See Gennesaret

9 Synagoge in Bar-Am

10 Berg der Seligpreisungen

11 Kafarnaum, Mühlstein

12 Stadttor von Bet-Schean

13 Theater von Bet-Schean

14 Berg Tabor

15 Treppe vom Abendmalssaal zum Ölberg

16 Zion vom Kidrontal

Abb. 4 *Ca. 5 t schwerer, in Hazor gefundener, als Altar zurecht gemachter Kalksteinblock, mit Abfluß für das Blut (14. Jh. v. Chr.)*
Abb. 5 *Aus Feldsteinen aufgebauter Altar von Megiddo, Durchmesser ca. 7 m, mit Stufen zum Besteigen (im AT, Ex 20,26, verboten!), der von ca. 2700 v. Chr. an nahezu tausend Jahre in Gebrauch war*

Mehr wissen wie über die *Spätbronzezeit*. Die auffälligste Erscheinung in städtebaulicher Hinsicht sind nun mächtige, durch Mauern geschützte, mehr oder weniger quadratförmige Erweiterungen einzelner Städte, wie Hazor in Nordpalästina, Aschkelon in der südlichen Küstenebene, Karkemisch, Qatna und Ugarit in Syrien. Sie setzen ca. 1600 ein und sind auf das Konto der Hyksos (s. u. S. 52f) zu setzen. Eine erstaunliche Höhe erreichte die Kunst in der Spätbronzezeit (s. S. 158ff). Die dominierende Rolle der Religion erweisen die Tempel und Altäre, die die Ausgrabungen aus allen Perioden der Bronzezeit nachgewiesen haben. Die Altäre reichen vom einfachen behauenen Steinblock bis zum mächtigen, aus Feldsteinen aufgebauten Opferplatz (Abb. 4 und 5, S. 49).

II.

DIE ZEIT DER PATRIARCHEN

Zwar bestehen für die Historizität und die Datierung der biblischen Patriarchen (Abraham, Isaak, Jakob) und der Ereignisse, die in der israelitischen Überlieferung mit ihnen verbunden werden, unter den Fachleuten große Meinungsverschiedenheiten. Die biblischen Erzählungen über die Väter Israels (Gen 12–50) sind ein sehr kompliziertes überlieferungsgeschichtliches und literarisches Gebilde, sie lassen historische und soziale Gegebenheiten durchschimmern, die Jahrhunderte auseinander liegen dürften. Dennoch läßt sich sagen, daß die Zeit zwischen ca. 1900 und 1450/1400 ihr allgemeiner Rahmen ist, weshalb dieses halbe Jahrtausend gerne die Patriarchenzeit genannt wird.

Palästina stand damals zunächst unter ägyptischer Verwaltung. Dabei hat Ägypten zwar eine politische, wirtschaftliche und kulturelle Rolle gespielt, als völkisches Element sind die Ägypter in Palästina jedoch nie aufgetreten. Während im Verlauf der ägyptischen Geschichte immer wieder Asiaten in

Ägypten einwanderten oder eindrangen und sich dort vorübergehend oder dauernd ansiedelten, haben sich umgekehrt nie Ägypter in Palästina niedergelassen. Der alte Äygpter ist nie aus seinem Lande ausgewandert. Er konnte nirgends auf der Welt leben als nur in Ägypten mit seiner ewig strahlenden Sonne und den Errungenschaften seiner säkularen Zivilisation. Hingegen sind die Ägypter immer wieder als Eroberer und Herrscher in Palästina aufgetreten. Nach dem politischen Chaos, das auf das Alte Reich in Ägypten folgte, wurde unter der 11. Dynastie um 2040 v. Chr. die Einheit wiederhergestellt. Eine Weltmacht aber wurde Ägypten erst wieder unter der 12. Dynastie (ca. 2000–1800 v. Chr.). Da dehnte sich sein Einflußbereich vom zweiten Nilkatarakt bis nach Nordphönizien aus.

Die ägyptische Domination über den syrisch-palästinischen Raum ist uns literarisch greifbar in den sogenannten *Ächtungstexten.* Es handelt sich dabei um Tongefäße oder Tonfigürchen, auf die zusammen mit einer Fluchformel die Namen der dem Pharao unterworfenen Fürsten in Ägypten und in den Nachbarländern geschrieben wurden. Rebellierte einer dieser Fürsten, wurde sein Gefäß oder Figürchen zerschmettert, wodurch sich der Fluch an dem Rebellen erfüllen sollte. Da es sich dabei allerdings um einen herkömmlichen symbolischen Ritus handelte, wird man aus den Texten keine zu weit reichenden Schlüsse auf die politische Situation ziehen dürfen, die sie widerspiegeln. Bis jetzt wurden zwei Serien solcher Ächtungstexte veröffentlicht, die eine (Texte auf Tonscherben) von dem Berliner Ägyptologen Kurt Sethe,[17] die andere (Texte auf Tonfigürchen) von dem belgischen Ägyptologen Georges Posener.[18] Die erste Serie dürfte aus dem Ende des 19. Jh., die zweite aus der Mitte des 18. Jh. stammen. Die Texte nennen zahlreiche Orte in Palästina, Südsyrien und Nordtransjordanien und sind die ältesten literarischen Dokumente, die sich direkt mit der politischen Tätigkeit städtischer Zentren in Palästina befassen. Zum ersten Mal lesen wir in ihnen den Namen der Stadt Jerusalem.

Während sich in den älteren Texten eine ganze Anzahl von Orten mit mehr als einem Fürstennamen finden, wird in den jüngeren für jeden Ort nur ein Fürst genannt. Ob daraus allerdings geschlossen werden kann, daß in der Zeit der älteren Texte die Städte noch mehr Mittelpunkte von Stämmen als geschlossene Stadtstaaten waren und daß die jüngeren Texte einen Fortschritt in der städtischen Organisation Palästinas widerspiegeln,[19] ist fraglich.[20] Jedenfalls zeigen die Texte, daß die Pharaonen Palästina als Bereich ihrer Zuständigkeit betrachteten und die dortigen Vorgänge mit größter Aufmerksamkeit verfolgten.

Das Bild, das die Ächtungstexte vom Palästina des frühen 2. Jahrtausends v. Chr. entwerfen, erfährt eine farbenreiche Belebung und Bestätigung durch die ägyptische *Sinuhe-Erzählung* (20. Jh.). Sinuhe ist ein hoher ägyptischer Beamter, der bei einem Thronwechsel in Ungnade gefallen zu sein fürchtet und daher nach Palästina (ägypt. *rṯnw*, vgl. S. 12) flieht. Er findet Aufnahme bei einem Beduinenscheich und lebt selbst viele Jahre als Beduine unter Beduinen, bis ihm die Gnade des Pharao die Rückkehr an den Hof ermöglicht. Breit wird dabei das Nomadenleben in Palästina und die Fruchtbarkeit des Landes geschildert. «Es war ein schönes Land», erzählt Sinuhe. «Es gab dort Feigen und Weintrauben; es hatte mehr Wein als Wasser, besaß viel Honig und reichlich Öl. Allerlei Früchte waren auf seinen Bäumen, es gab Gerste und Emmer und allerlei Vieh ohne Zahl».[21] Die Beduinen, deren Leben Sinuhe teilt, sind also nicht mehr die Vollnomaden der großen Wüste, sondern Halbnomaden. Sie treiben schon Ackerbau und befinden sich somit auf dem Wege zur Seßhaftigkeit. Die gleichen sozialen Verhältnisse setzen die biblischen Patriarchenerzählungen voraus.

Zu den Großtaten, die Sinuhe in Palästina vollbracht zu haben sich rühmt, gehört auch, daß er dem Stamm, der ihn aufgenommen hatte, Hilfe leistete, ja ihn sogar kommandierte, wenn er gegen die «Herrscher der Fremdländer» in den Kampf zog. Diese «Herrscher der Fremdländer» haben im 2. Jt. v. Chr. die Geschicke nicht nur Palästinas, sondern ganz Vorderasiens und auch Ägyptens entscheidend bestimmt. Der Titel «Herrscher der Fremdländer» *(ḥ̥k̥∃w ḫ∃śwt)*, den die Ägypter ihnen beilegten, wurde später von den Griechen zu *Hyksos* entstellt, und unter diesem Namen sind sie in die Geschichte eingegangen. Wir wissen – und auch der Bericht des Sinuhe deutet darauf hin –, daß die Hyksos zuerst in Vorderasien und erst später in Ägypten aktiv wurden. Sie müssen also Asiaten gewesen sein, und wenn sich auch über ihre Herkunft und ihre völkische Zugehörigkeit nichts Sicheres sagen läßt, so ist doch der ägyptische Name «Herrscher der Fremdländer» als eine Sammelbezeichnung für eine Gruppe von Völkern anzusehen, die vermutlich unter der Führung der Hurriter (s. u. S. 59f) standen und unter denen es allem Anschein nach auch Indogermanen und Semiten gab. Denn in der Amarnazeit tragen zahlreiche Stadtkönige Syrien-Palästinas ostindogermanische Namen.[22] Zuerst (ca. 1720–1610) erstreckte sich die Herrschaft der Hyksos auch über Südägypten und Nubien, in einer zweiten Phase (ca. 1610–1550) nur noch über Nordägypten und Südpalästina. Wie in Ägypten bildeten die Hyksos auch in Palästina nur eine Herrenschicht, die die völkische Struktur des Landes nicht wesentlich veränderte. Archäologisch aber sind ihre Spuren nicht zu übersehen. Neben den bereits erwähnten mächtigen viereckigen Erweiterungen verschiedener Städte (s. o. S. 50), die vermutlich zur Unterbringung der Söldnertruppen und Kriegswagen dienten, sind Böschungsmauern aus gestampfter Erde (Lachisch, *tell bēt mirsim*, Jericho, *tell el-ᶜaddschūl, tell el-fārᶜa*) oder Stein (Sichem, *tell bēt mirsim*, Jericho), die der Stadtmauer vorgelagert wurden, um den Durchbruch der Stadtmauer mit Sturmböcken zu verhindern, für die Hyksosstädte charakteristisch (vgl. auch Abb. 19, S. 155).[23]

Nachdem Amosis, der Begründer der 18. ägyptischen Dynastie, die Hyksos vertrieben hatte, geriet Palästina politisch und kulturell wieder unter den Einfluß Ägyptens, da die

Pharaonen der 18. Dynastie eine systematische Expansionspolitik gegenüber Syrien/Palästina betrieben. Der große Eroberer ist Thutmosis III. (1490–1436), der siebzehn Feldzüge nach Asien unternahm und die ägyptische Herrschaft bis zum Eufrat ausdehnte. Sein Nachfolger Amenophis II. vermochte das Reich auf diesem Stand zu halten. Aber unter dem genießerischen Amenophis III. (1402–1364) begann sich eine Krise anzukündigen, die sich unter Amenophis IV. Echnaton (1364–1347) zur eigentlichen Katastrophe auswuchs und Ägypten an den Rand des Abgrundes führte. Hatte es Amenophis III. unterlassen, die Provinzen zu inspizieren, so lebte Amenophis IV. ganz seinen religiösen Interessen. Die Tochter Amenophis' IV. schließlich, Gattin seines zweiten Nachfolgers Tutenchamun, schreckte nicht einmal davor zurück, nach dem Tod ihres Gatten den Hetiterkönig Suppiluliuma (ca. 1370–1330) zu bitten, ihr einen seiner Söhne zu schicken, damit er sie heirate und Pharao werde. Dabei hatte sich das Hetiterreich schon unter Amenophis III. und Amenophis IV. zum gefährlichen Gegenspieler Ägyptens auf dem asiatischen Schauplatz entwickelt. Der in der Chronik der Taten Suppiluliumas überlieferte Brief der Pharaonin hat folgenden Wortlaut:

«Mein Mann ist tot.
Ein Sohn aber ist mir nicht.
Dir aber spricht man allgemein viele Söhne zu.
Wenn du mir einen Sohn von dir gäbest,
würde er mir Gatte werden.
Einen Knecht von mir aber werde ich niemals nehmen
und ihn zu meinem Gatten machen.»

Begreiflicherweise reagierte der Hetiterkönig auf dieses Ansinnen mit Mißtrauen, weshalb die Pharaonin ihre Petition wiederholen mußte. In der zweiten Botschaft sagt sie noch bestimmter:

«Gib mir einen Sohn von dir.
Und er wird mir Gatte,
im Lande Ägypten aber wird er König sein.»

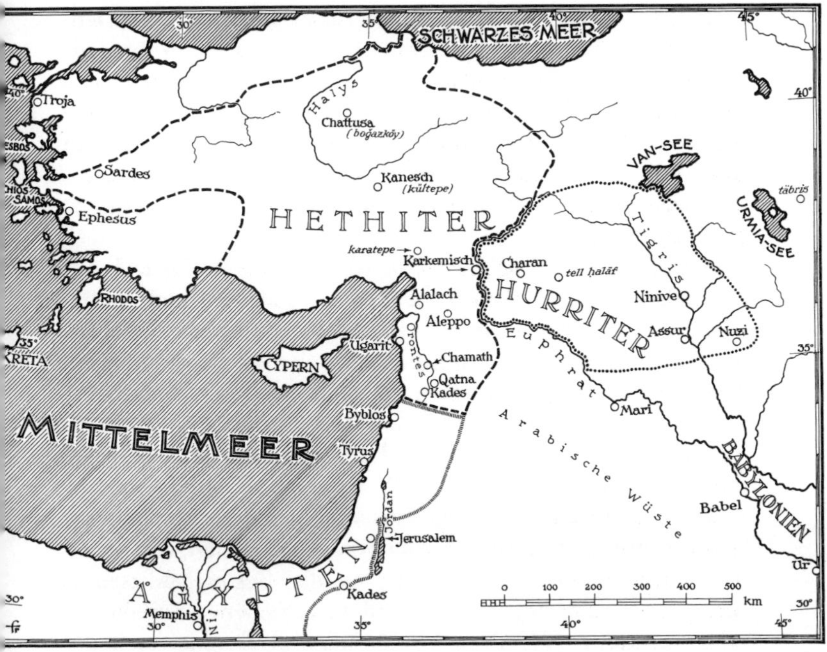

Abb. 6 *Der Vordere Orient um 1270 v. Chr.*

Suppiluliuma entsprach schließlich der königlichen Bitte und sandte einen Prinzen nach Ägypten. Dieser fiel jedoch schon nach kurzer Zeit den Intrigen am ägyptischen Hof zum Opfer.

Erst die energischen Pharaonen der 19. Dynastie versuchten, nach diesem Niedergang die ägyptische Suprematie über Nordsyrien wieder herzustellen. Natürlich konnte das nicht ohne kriegerische Auseinandersetzungen mit den Hetitern abgehen. Diese gipfelten in der gigantischen Schlacht, die Ramses II. (1290–1224) in seinem fünften Jahr dem hetitischen König Chattuschili III. bei Kadesch am Orontes lieferte. Zwar darf der Ausgang der Schlacht, rein militärisch betrachtet, als ein Sieg der Ägypter angesehen werden. Dennoch nahm Ramses II. die Stadt Kadesch nicht ein, und die Grenze des Ägypterreiches verlief von nun an ein ordentliches Stück südlich der Stadt. Das bedeutet, daß diese und ganz Nordsyrien in der Hand der Hetiter verblieb. Auch der Nachfolger Ramses' II., Merenptah (1224–1204), setzte, soviel wir wissen, seinen Fuß nie über die Grenzen des heutigen Palästina hinaus.

Von diesem Kräftespiel zwischen Ägypten und dem Hetiterreich konnte das dazwischenliegende Palästina nicht unberührt bleiben. Das Fieber, von dem das Land Kanaan geschüttelt wurde, hat sich in den *Amarna-Briefen* niedergeschlagen. Diese haben ihren Namen nach der 1887 durch Zufall entdeckten Fundstätte *tell el-ᶜamārna* am mittleren Nil, wo sich Amenophis IV. eine neue Residenz gebaut hatte. Die Briefe stellen das Staatsarchiv von Amenophis III. und Amenophis IV. dar. Es handelt sich (einschließlich der erst nachträglich ermittelten Stücke) um über 380 Tontäfelchen, von denen mehr als die Hälfte in den Besitz des Berliner Museums übergingen; die übrigen sind auf verschiedene Museen der Welt zerstreut.[24] Mit drei Ausnahmen sind alle akkadisch, der Diplomatensprache jener Zeit, geschrieben. Die Amarna-Briefe sind für uns eine Informationsquelle von unschätzbarem Wert. Das Land war damals, im 15. und 14. Jh. v. Chr., in eine Unmenge von Zwergkönigtümern zersplittert, mit je einer festen Stadt im Mittelpunkt, in der die Fürsten saßen. Sie nannten sich zwar Könige, waren aber samt und sonders ägyptische Vasallen. In der Amarna-Korrespondenz treten unter anderen die Könige von Byblos, Beirut, Sidon, Tyrus, Akko, Aschkelon, Meggido, Geser, Lachisch und Jerusalem auf. Die Stadtstaaten – ein Charakteristikum des spätbronzezeitlichen Syrien-Palästina – lagen also vorwiegend in der Küsten- und der Jesreel-Ebene und nur ausnahmsweise auf dem Gebirge. Mehrere kanaanitische Stadtfürsten versuchten, das ägyptische Joch abzuschütteln. Außerdem intrigierten von Norden her die Hetiter, und Einfälle semitischer

Völkergruppen störten die Ruhe im Lande. Vor allem treten die inzwischen durch eine immense Dokumentation bezeugten Chabiru (s. u.) zum erstenmal durch die Amarna-Briefe in das Licht der Geschichte.

Nicht nur die Amarna-Briefe, sondern ebenso die biblischen Berichte lassen erkennen, daß die Bevölkerungsverhältnisse Palästinas in der Patriarchenzeit recht kompliziert waren. Das Alte Testament zählt eine ganze Reihe von Völkern auf, die Kanaan in vorisraelitischer Zeit bewohnt haben. Gewöhnlich werden genannt: Kanaaniter, Hetiter, Amoriter, Perisiter, Hiwiter und Jebusiter (z. B. Ex 3,8).[25] Das dominierende Bevölkerungselement war sicher semitisch. Aber es ist zum Beispiel schwierig auszumachen, in welchem Verhältnis die *Kanaaniter* zu den *Amoritern* (dazu s. o. S. 48) stehen. Beliebt war eine Zeitlang die Auffassung, Kanaaniter und Amoriter stellten zwei verschiedene Phasen oder Wellen semitischer Einwanderung in Palästina dar. So schrieb R. de Vaux, die Kanaaniter hätten um 3000 v. Chr. Palästina semitisiert und dort die Kultur der Bronzezeit eröffnet; die Amoriter seien ihnen als zweite Welle um 2200 v. Chr. gefolgt.[26]

Dieser These hat vor allem S. Moscati widersprochen.[27] Er hat unter anderem gezeigt, daß Kanaaniter ein geographischer, Amoriter ein völkischer Begriff ist. Zudem ist der Name Kanaan erst später belegt als der Name Amurru.[28] Nach alter israelitischer Überlieferung saßen die Kanaaniter in der Küstenebene, die Amoriter auf dem westjordanischen, vor allem aber auf dem ostjordanischen Gebirge (Jos 5,1, vgl. Num 13,29; Jos 11,3). Da der Name Kanaan im strengen Sinn den phönizischen Küstenstrich bezeichnete (vgl. o. S. 13), ist es nicht verwunderlich, daß die Israeliten die Träger der ausgesprochen städtischen Kultur in der Küstenebene Kanaaniter nannten, die Bewohner des Gebirges aber, die stärker der nomadischen Kultur der amoritischen Einwanderer verbunden geblieben waren, Amoriter. Jedenfalls wollten die Israeliten mit den beiden Begriffen eher zwei Kulturen als zwei Volkstypen unterscheiden. Freilich wird dies nicht an allen einschlägigen Stellen des Alten Testaments in gleicher Weise deutlich (vgl. z. B. Gen 50,11, wo sogar Bewohner Transjordaniens Kanaaniter genannt werden). Offenbar waren in späterer Zeit die Namen Kanaaniter und Amoriter zur abgegriffenen Münze geworden, so daß man ohne bestimmte Vorstellung den einen wie den anderen gebrauchte, um damit die vorisraelitische Bevölkerung Palästinas zu bezeichnen.

Über die völkische Zugehörigkeit der *Perisiter* und *Jebusiter* können wir nichts Sicheres sagen. Immerhin wird die Möglichkeit nicht ausgeschlossen, daß sie Indogermanen waren. Ihre Erwähnung in der Bibel bestätigt aber zum mindesten, daß die vorisraelitische Bevölkerung Palästinas recht bunt zusammengesetzt war. Dies wird besonders durch die Nennung der Hetiter und der Hiwiter deutlich.

Die *Hetiter* stehen im Alten Testament zwar unauffällig zwischen den Kanaanitern und den Amoritern, also zwischen zwei semitischen Völkerschaften, und daraus könnte man entnehmen, sie seien selber auch Semiten gewesen. In Wirklichkeit aber waren die Hetiter ein mächtiges indogermanisches Volk, das zu Beginn des 2. Jahrtausends nach Kleinasien einwanderte und dort ein starkes Reich gründete. Dessen Geschichte kennt zwei Phasen. Das sogenannte Alte Reich (ab ca. 1600 v. Chr.) wurde um 1400 vom Neuen Reich abgelöst. Dieses machte zunächst eine Krisenzeit durch, der jedoch der energische König Suppiluliuma (ca. 1370–1330) ein Ende setzte. Er konsolidierte das Reich im Inneren und vergrößerte es nach außen, indem er große Teile Syriens bis zum Libanon an sich brachte und damit das hetitische Großreich begründete, das etwa eineinhalb Jahrhunderte Bestand haben sollte. Sein Ende bedeutete den Untergang des Hetiterreiches überhaupt. Prallten bereits seit dem 14. Jh. die Interessen der Ägypter und der Hetiter in Palästina aufeinander (wie wir aus den Amarna-Briefen ersehen, s. o. S. 56f), so stellten im 13. Jh. die Hetiter geradezu die Existenz des ägyptischen Imperiums in Frage. Durch die Entscheidungsschlacht bei Kadesch am Orontes (s. o. S. 55f) jedoch wurde einem weiteren Vordringen der Hetiter nach Süden ein Riegel vorgeschoben.

Im Alten Testament werden die Hetiter öfters erwähnt, angefangen von den Patriarchenerzählungen bis in die nachexilische Zeit. So kauft Abraham den Hetitern von Hebron ein Grundstück ab, um darauf sein Familiengrab anzulegen (Gen 23). Sicher hat sich die Herrschaft der Hetiter niemals bis nach Hebron erstreckt und gab es dort auch keine eigentlich hetitische Bevölkerung. Vermutlich haben wir es in der späten Erzählung mit einer vagen Erinnerung an jene feudale Oberschicht zu tun, die durch die Hyksos-Bewegung von Kleinasien nach Palästina gebracht wurde und auch indogermanische Elemente enthalten haben dürfte (s. o. S. 53).

Was die mysteriösen *Hiwiter* anbetrifft, so haben wir gute Gründe anzunehmen, daß im hebräischen Bibeltext *w* aus *r* verschrieben ist (die beiden Buchstaben sehen sich sehr ähnlich) und daß wir somit *ḫ̥ōrī* statt *ḫ̥iwwi* zu lesen haben. Wir haben dann die uns heute wohlbekannten *Hurriter* vor uns. Die Hurriter waren ein nicht-semitisches Volk, das seit der Mitte des 3. Jt. die Berge östlich des Tigris bewohnte, dann aber von der reichen mesopotamischen Ebene angezogen wurde. Seit dem 18. Jh. finden wir die Hurriter mit der Bevölkerung verschiedener Städte des oberen Eufrats und Nordsyriens vermischt, so in Mari und Alalach, später in Ugarit. In der Folge müssen sie nach Syrien und Palästina weitergewandert sein, wie sich aus verschiedenen archäologischen Beobachtungen ergibt. Es scheint, daß die Hyksos (s. o. S. 52f) mit ihnen teilweise identifiziert werden müssen. Am besten ist uns die Geschichte der Hurriter im 15./14. Jh. bekannt. Sie bildeten seit ca. 1500 das Reich Mitanni, das sich zeitweilig vom Zagros-Gebirge bis zum mittleren Eufrat, ja bis zur syrischen Küste ausdehnte. Zwar wurde es von einer indo-arischen Oberschicht beherrscht, seine Bevölkerung jedoch war vorwiegend hurritisch.

Einen vielseitigen Einblick in das wirtschaftliche, soziale und religiöse Leben einer hurritischen Stadt haben die Texte von Nuzi (heute *jorgan tepe*, 13 km südwestlich von *kirkuk*) vermittelt, das im 15./14. Jh. eine ausgesprochen hurritische Bevölkerung hatte. In der Amarnazeit finden wir Hurriter nicht nur in Obermesopotamien und Nordsyrien, sondern auch in Kappadozien, Babylonien und Palästina. Zahlreiche palästinische Fürsten und Beamte tragen hurritische Namen, so Abdi-Chepa, der Stadtkönig von Jerusalem. Die Pharaonen Thutmosis IV., Amenophis III. und Amenophis IV. hatten hurritische Prinzessinnen in ihrem Harem. Vermutlich haben wir es auch bei den unbeschnittenen Bewohnern von Sichem (Gen 34) mit Hurritern zu tun (die Bibel redet hier wiederum von Hiwitern). Überhaupt muß das hurritische Element in Palästina so hervorstechend gewesen sein, daß die Pharaonen der 18. Dynastie das Land global mit dem Namen Hurru *(ḫꜣrw)* bezeichnen.

Die Patriarchenerzählungen der Genesis setzen jedoch voraus, daß es neben diesen seßhaften Volksgruppen, die mehrfach aufgezählt werden, andere Elemente gab, die noch nicht zu einer seßhaften Lebensweise gelangt waren. Die Sippe Abrahams hebt sich in ihrer Lebensform deutlich von den eigenen Einwohnern des Landes ab. Nach seinem Auszug aus Obermesopotamien (Gen 12,1–5) sehen wir Abraham zunächst an mehreren Stationen Mittelpalästinas sein Zelt aufschlagen (Sichem, Bet-El, Ai), dann heißt es, er sei weiter nach dem Südland gezogen (12,6–9). Und nach einem kleinen Intermezzo in Ägypten verbringt er schließlich den Rest seines Lebens auf den weiten Höhen Südpalästinas. Gelegentlich treffen wir ihn in Beerscheba am Rande der Wüste (21,32f; 22,19). Von dort stößt er weiter in die Südwüste (Negeb) und in das Philisterland vor (Negeb: 20,1, vgl. 16,7; 21,14; Philisterland: 20,1; 21,34). Sein bevorzugter Zeltplatz aber ist Mamre bei Hebron (13,18; 18,1). Dort erwirbt er auch ein Grundstück als Familiengrabstätte (23). Auch Isaak und Jakob finden wir im gleichen Raum (Sichem: 33,18; 34; Bet-El: 28,19; 35,6f; Hebron: 35,27; 37,14; Beerscheba: 26,23.33; Negeb: 24,62; 25,11; Philisterland: 20,26).

Die Patriarchen treten zwar verschiedentlich mit den seßhaften Bewohnern Palästinas in Kontakt, führen mit ihnen Verhandlungen, erwerben von ihnen Grundbesitz, schließen mit ihnen Verträge. Dennoch kommen sie mit den Bewohnern des Landes in kein intimeres Verhältnis. Abraham bezeichnet sich den Bürgern von Hebron gegenüber ausdrücklich als «Fremdling und Beisasse», der keinen Anspruch auf ein Grundstück geltend machen kann (Gen 23,4). Eheliche Verbindungen mit den Kanaanitern werden grundsätzlich abgelehnt. Wohl wird von Esau berichtet, er habe sich zwei «Hetiterinnen» zu Frauen genommen, aber gleichzeitig wird erwähnt, seine Eltern hätten sich darüber sehr gegrämt (26,34f; 27,46). Dagegen wird ohne weiteres geduldet, daß sowohl Abraham wie Esau arabische Kebsweiber nehmen (25,1; 28,9), offenbar deshalb, weil es sich bei den Arabern um Nomaden handelte, die gleiche oder ähnliche Lebensgewohnheiten hatten wie die Patriarchensippen. Vorzüglich aber werden die Brautwerbungen in der alten Heimat Mesopotamien getätigt. Von dort läßt man für Isaak eine Frau herholen (24), dort hält sich Jakob zwanzig Jahre lang auf und gründet seine Familie (29–31).

Diese betonte Distanz zur städtischen Bevölkerung und Kultur Palästinas, die die Patriarchen in den Erzählungen der Genesis an den Tag legen, ist allerdings nicht nur durch ihre Lebensform als wandernde Kleinviehhirten bestimmt. Sie hängt auch mit einem gewissen ethnischen und sozialen Status zusammen, den die biblischen Berichte mit der Bezeichnung «Hebräer» *(ᶜibrīm)* andeuten. Einmal wird Abraham ein «Hebräer» genannt (Gen 14,13). Mehrfach tritt diese Volksbezeichnung in der Josef- und in der Mosegeschichte auf: Josef und seine Brüder sind «Hebräer» (39,14.17; 41,12; 43,32), Palästina ist das «Land der Hebräer» (40,15), Jahwe der «Gott der Hebräer» (Ex 3,18; 5,3; 7,16; 9,1.13; 10,3), die israelitischen Sippen leben als «Hebräer» unter den Ägyptern (2,6f.11.13), ihre Frauen sind «Hebräerinnen» (1,15f.19). Lange Zeit wurden die Begriffe «Israeliten» und «Hebräer» als gleichbedeutend angesehen. Die Ergebnisse der neueren Archäologie haben uns jedoch belehrt, daß sie Verschiedenes bedeuten.

In der Tat reden die Keilschrifttexte Jahrhunderte hindurch von einzelnen und Volksgruppen, die *ḫabiru* oder *ḫapiru* genannt werden.[29] Wie oben (S. 57) erwähnt, tauchte dieser Name erstmals in den Amarnabriefen auf. Heute aber sind die *ḫab/piru* inschriftlich schon für eine viel frühere Zeit bezeugt. Sie erscheinen zum erstenmal in der Rolle von Plünderern unter der 3. Dynastie von Ur (21./20. Jh. v. Chr.). In Texten aus dem 19. und 18. Jh. treten sie als Gefangene und Söldner auf. Im mächtigen amoritischen Reich von Mari am mittleren Eufrat (18. Jh.) sind sie umherstreifende Scharen, die die Städte von Obermesopotamien bedrängen. Ein ähnliches Bild entwerfen die Amarnabriefe von ihnen. Auf jeden Fall sind sie eine ernst zu nehmende militärische Macht. In den Texten von Nuzi aus dem 15. Jh. wiederum treten sie als Fremde auf, die sich jedoch eines besseren sozialen Status erfreuen als die Sklaven. Sie gehen freiwillig ein Dienstverhältnis ein und können sich mit eigenen Mitteln wieder freikaufen. Im 13. Jh. schließlich erscheinen sie in Ugarit als fremde und fragwürdige Elemente.

Seit dem 15. Jh. aber finden wir die gleichen Leute auch in Ägypten unter der Bezeichnung *ᶜprw*. In einem Text aus dem 15. Jh. treten sie auf als Kriegsgefangene, die der Pharao aus Syrien und Palästina mitgebracht hat. Man traut ihnen aber auch zu, selbständige und loyale Untertanen zu sein: in einem kürzlich in *kāmid el-lōz* gefundenen Amarnabrief fordert der Pharao bei seinem Vasallen in Damaskus *ḫabiru* an, um sie in Nubien anzusiedeln, wo sie die deportierte Bevölkerung ersetzen sollen. Später, unter Ramses II., III. und IV. werden sie zu Zwangsarbeiten in den Steinbrüchen und bei den Bauarbeiten des Pharao eingesetzt. Wir denken dabei unwillkürlich an die Frondienste der Israeliten in Ägypten.

Nach dem heutigen Wissensstand ist es sicher, daß mit den *ḫab/piru* der Keilschrifttexte und den *ᶜprw* der ägyptischen

Texte die gleichen Leute gemeint sind. Vom lautlichen Befund her bestehen aber keine ernsthaften Bedenken, auch die biblischen *ʿibrīm* mit ihnen in Verbindung zu bringen. Somit legt es sich nahe, zwischen den «Hebräern» und den *ḫab/piru-ʿprw* einen Zusammenhang zu sehen. Allerdings ist die Verwendung des Begriffes «Hebräer» nicht an allen Stellen des Alten Testaments in gleicher Weise einleuchtend. Die außerbiblischen Texte zeigen, daß wir es bei den *ḫab/piru-ʿprw* weniger mit einem bestimmten Volk als mit Leuten einer sozialen Klasse und Lebensform zu tun haben. Das kriegerische Bild, das Gen 14,13–16 vom «Hebräer» Abraham entwirft, paßt am besten in diesen Rahmen. Wie immer dem sei: Angesichts der breiten räumlichen (Mesopotamien, Kleinasien, Syrien, Palästina, Ägypten) und zeitlichen (rund tausend Jahre) Streuung der *ḫab/piru-ʿprw* wäre es jedenfalls verwunderlich, wenn die Frühzeit Israels von ihnen unberührt geblieben wäre.

III.

DIE ISRAELITISCHE LANDNAHME

Nach biblischer Darstellung sind Abraham, Isaak und Jakob die Stammväter des gesamten israelitischen Volkes, das unter der Führung des Mose aus Ägypten auswanderte und unter der des Josua das Land Kanaan einnahm. Die Gliederung des Volkes Israel in zwölf Stämme wird von der Bibel damit erklärt, daß Jakob zwölf Söhne hatte (Gen 35,22b–26). Diese gelten als die Väter der zwölf Stämme. Doch war das Verhältnis in Wirklichkeit umgekehrt: Die Namen der zwölf Söhne Jakobs waren primär die Namen von Stämmen, von denen nachträglich auf Stammväter gleichen Namens geschlossen wurde. Nach biblischer Überlieferung (Ex 6,14–20) lagen zwischen Josef und Mose ja nur vier Generationen. In dieser kurzen Zeit konnten die Söhne Jakobs nicht ein Volk werden.

Überdies sind Völker und Stämme, die die Bibel von den Patriarchen herleitet, zur Zeit der Patriarchen schon vorhanden. So sollen die Ismaeliter von Ismael, einem Sohn Abrahams, abstammen (Gen 25,12–16). Aber schon in der Josefgeschichte, also zwei Generationen später, erscheinen die Ismaeliter als ein Volk (Gen 37). Auch einen Stamm Benjamin gab es schon in der Patriarchenzeit, wie wir heute aus den Texten von Mari (18. Jh. v. Chr.) wissen.

Der israelitische Zwölfstämmeverband kann sich also nicht von einem gemeinsamen Stammvater herleiten, sondern ist das Ergebnis eines Zusammenschlusses von eigenständigen, wenn auch völkisch, kulturell und sprachlich verwandten Stämmen. Zwölferbünde scheinen im Orient eine verbreitete Institution gewesen zu sein. Die Bibel weiß zu berichten, daß die Aramäer in zwölf Stämme gegliedert waren (Gen 22,20–24), ebenso die Araber (25,13–16) und die Edomiter (36,10–14). Weitere Zwölferverbände sind uns aus dem alten Griechenland und Italien bekannt.[30] In Griechenland wurde ein solcher Stämmeverband eine Amphiktyonie genannt. Die Übertragung des Begriffes auf den israelitischen Stämmeverband, wie sie sich seit Martin Noth in der alttestamentlichen Wissenschaft eingebürgert hat, ist jedoch unzutreffend, weil diesem vor allem das wichtigste Element der griechischen Amphiktyonie, das zentrale Heiligtum, fehlte.[31]

Zu einem solchen Zwölferverband konnten sich nicht nur einzelne Stämme zusammenschließen, sondern auch kleinere Stämmegruppen, die dann im Zwölferverband noch weiterhin in Erscheinung traten. Im israelitischen Zwölferstämmebund finden wir vier solche Stämmegruppen, ein Sachverhalt, dem die Volksüberlieferung dadurch gerecht zu werden versuchte, daß sie die zwölf Stämme zwar alle vom gleichen Vater, aber von vier verschiedenen Müttern herleitete. Eine Sechsergruppe: Ruben, Simeon, Levi, Juda, Sebulon und Issachar wird auf Lea zurückgeführt; man spricht daher von Leastämmen (Gen 29,31–35; 30,17–20). Eine Zweiergruppe, Josef und Benjamin, heißt Rahelstämme, weil ihre Stammväter als Söhne Rahels gelten (30,22–24; 35,18). Es bleiben noch vier Stämme, die von zwei Mägden hergeleitet werden: Dan und Naftali von der Magd Rahels (30,4–8), Gad und Ascher von der Magd Leas (30,9–13). Es sind die Stämme, die am nördlichen Rand des Zwölfstämmeverbands saßen und in der Geschichte Israels wenig in Erscheinung traten.

Wie sich im folgenden zeigen wird, sind einzelne Stämme schon sehr früh aufgerieben worden und haben nur noch dem Namen nach in der Überlieferung weiterexistiert. Zur geschichtlichen Größe dürfte der Zwölfstämmeverband erst gegen Ende des Landnahmeprozesses geworden sein. Damals hatten die verschiedenen Stämme und Stämmegruppen schon eine sehr vielseitige und wechselhafte Vorgeschichte. Die biblische Überlieferung, wonach Israel in Ägypten zum Zwölfstämmevolk heranwuchs (Ex 1,1–5), als Zwölfstämmevolk aus Ägypten auszog (Num 1), in einer gemeinsamen Aktion unter Führung des Josua Palästina eroberte (Jos 2–12) und nach vollbrachter Tat das Land durch das Los unter die zwölf Stämme verteilte (Num 32; Jos 13–19), ist sicher eine spätere Idealisierung des geschichtlichen Sachverhaltes. Schon aus dem eben genannten Text Num 32 geht hervor, daß einzelne Stämme ihre Siedlungs- und Interessensphäre im Ostjordanland hatten und deshalb ihre Solidarität mit den westjordanischen Stämmen nicht selbstverständlich war. Wir können somit unser Bild von der Landnahme nicht nur auf Jos 2–12 aufbauen, sondern müssen andere Texte zu Hilfe nehmen. Es wird sich zeigen, daß die Landnahme ein sehr komplizierter und vielschichtiger Vorgang war.[32]

Am besten beginnen wir mit den Rahel-Stämmen *Josef* und *Benjamin.* Ihre «Stammväter» erscheinen als die jüngsten Söhne Jakobs (Gen 30,22–24; 35,16–18), was darauf hindeuten mag, daß die beiden Stämme sich als letzte ansiedelten. Bei den Landnahmeberichten von Jos 2–11 fällt außerdem auf, daß sie sich – abgesehen von 10,28–23 – ausschließlich auf die Eroberung Zentralpalästinas, genauer: der Stammgebiete von Benjamin und Efraim, beziehen. Demnach dürfte es sich bei den «Israeliten», die – von Ägypten kommend – von Osten her über den Jordan in das Land einbrachen, um die Stämme Benjamin und Efraim gehandelt haben (Efraim ist ein Sohn Josefs, Gen 41,50–52, der in der biblischen Überlieferung aufs engste mit Ägypten verknüpft ist). Während die Ansiedlung Benjamins nicht ohne kriegerische Auseinandersetzungen vor sich ging – wenn auch die Berichte über die Eroberung von Jericho (Jos 6) und Ai (Jos 8) und die Schlacht bei Gibeon (Jos 10) kritisch zu sichten sind (s.u. S. 156) –, war das Gebirge Efraim noch kaum bewohnt und wurde durch friedliche Waldrodung besetzt (Jos 17,14–18). Ausdrücklich ist in diesem Zusammenhang von den Stämmen *Efraim* und *Manasse*, dem «Haus Josef», die Rede (V. 17). Denn Efraim und Manasse waren Bruderstämme (vgl. Gen 41,50–52), die von einer bestimmten Zeit an unter dem Namen «Haus Josef» zusammengefaßt wurden. Ließ sich Efraim auf dem Gebirge nieder, so Manasse in der Gegend von Sichem (vgl. Jos 17,7–10). Während Manasse anfänglich bedeutender war als Efraim (was Gen 41,50–52 darin zum Ausdruck kommt, daß Manasse der Erstgeborene Josefs ist; vgl. auch Ri 6–8, wo die Initiative bei Manasse liegt), wurde er später von Efraim überflügelt (vgl. Gen 48,13–19); so spricht Dtn 33,17 von den Zehntausenden Efraims und den Tausenden Manasses, und bei Hosea wird das Nordreich rundweg «Efraim» genannt.

Offenbar sind diese drei Stämme Benjamin, Efraim und Manasse der Kern des späteren «Israel». Israel aber ist in der Bibel der zweite Name Jakobs, des Ahnherrn der zwölf Stämme. Das wird damit erklärt, daß Gott seinen Namen Jakob in Israel geändert habe (Gen 32,29; 35,10). Zweifellos spiegeln sich darin zwei verschiedene Traditionen und geschichtliche Vorgänge wider, die dazu führten, daß der spätere Zwölfstämmeverband seine Herkunft sowohl von einem gewissen Jakob wie von einem gewissen Israel herleitete. Verschiedene Indizien sprechen dafür, daß die Josef-Stämme sich für ihre Herkunft auf einen Ahnherrn Israel beriefen. In der Josefgeschichte (besonders in Gen 48) wird

Jakob nämlich häufiger Israel als Jakob genannt. Andererseits haftet in Palästina der Name Israel besonders an Sichem (Gen 33,20; Jos 24,2), das im Gebiet des Josefstammes Manasse lag. Deshalb ist es nicht verwunderlich, daß nach der Reichsteilung der Name Israel auf das Nordreich überging. Demnach wären die Rahel-Stämme die Israel-Stämme.

Indes haben nach biblischer Überlieferung nicht alle Stämme, die von Ägypten her ins transjordanische Hochland gelangt waren, den Jordan überschritten. Nach dem Bericht Num 32 siedelten sich die Stämme *Ruben* und *Gad* im Land Jaser (auf dem ammonitischen Hochland, in der Gegend des heutigen *ᶜammān*) und Gilead (dem Hochland zwischen Jaser und dem Jabbok) an, weil sie dort gute Weidegebiete fanden. Es handelte sich also nicht um eine kriegerische Eroberung, sondern um eine friedliche Infiltration. Trotz dieser Gemeinsamkeit dürfte die Ansiedlung Rubens und Gads geschichtlich unter sehr verschiedenen Umständen erfolgt sein. Während Gad ein Mägdestamm ist (Gen 30,9–13), ist Ruben der Erstgeborene Jakobs von Lea (Gen 29,32). Da jedoch Ascher, der dieselbe Stammesmutter hat wie Gad und im Norden siedelte, den Exodus sicher nicht mitgemacht hatte (s. u. S. 69), dürfte das gleiche auch für Gad gelten. Hingegen stehen der Glaubwürdigkeit der Überlieferung, wonach Ruben an der Wüstenwanderung unter Mose beteiligt war, keine ernsthaften Schwierigkeiten im Weg. Allerdings scheint der Stamm ziemlich isoliert gelebt (vgl. Ri 5,15 f) und rasch an Bedeutung verloren zu haben (vgl. Gen 49,3 f; Dtn 33,6). Er wird nach der Richterzeit nicht mehr erwähnt und ist offenbar im Stamme Gad aufgegangen.

Num 32,33 wird neben den Stämmen Ruben und Gad, die Landbesitz im Ostjordanland erhielten, noch der halbe Stamm *Manasse* genannt. Aber V. 39 desselben Kapitels gibt zu verstehen, daß der mit Manasse aufs engste liierte Stamm Machir von Palästina nach Transjordanien wanderte. In der Tat finden wir Machir im Deboralied noch in Zentralpalästina (Ri 5,14). Er muß dann aber durch die landnehmenden Manassiten nach dem nördlichen Gilead, also den Höhen zwischen Jabbok und Arnon, abgedrängt worden sein (vgl. Jos 22,7; Num 32,39f).

Die Eroberung Südpalästinas wird in Jos 10,28–43 zwar «Josua und ganz Israel» zugeschrieben. Aber wir sahen schon, daß der Landnahmebericht des Jos-Buches die Eroberung Zentralpalästinas zum Thema hat, während die Erzählung von der Einnahme des Südens und Nordens den Eindruck einer nachträglichen Ergänzung und Vervollständigung macht. In der Tat finden wir in Ri 1,1–21 einen Bericht, der den historischen Gegebenheiten sicher besser gerecht wird. Danach war die Eroberung von Südpalästina, namentlich der Stadt Hebron, der späteren Metropole des Stammes Juda, das gemeinsame Werk der Stämme *Juda* und *Simeon* sowie mit ihnen verbündeter (und später von Juda absorbierter) kalebitischer und kenitischer Sippen. Sie stießen nicht von Osten, sondern von der Südwüste her gegen das Kulturland vor. In welchem Ausmaß dies zu kriegerischen Auseinandersetzungen führte, ist schwer auszumachen (s.u. S. 156). Verschiedene biblische Notizen (so Num 26,58) deuten darauf hin, daß auch der Stamm *Levi* in einer frühen Phase seiner Geschichte im äußersten Süden siedelte (wenn auch Gen 34 anzudeuten scheint, daß Simeon und Levi noch früher ihre Weidegebiete in Zentralpalästina hatten). Wie weit diese Stämme sich in Ägypten aufgehalten haben, darüber läßt sich schwer etwas Sicheres sagen. Beachtenswert ist auf jeden Fall, daß beide Eltern des Mose dem Stamm Levi angehören (Ex 2,1) und daß nicht nur Mose, sondern verschiedene «Söhne Levis» ägyptische Namen haben (Pinhas, Merari, Hofni: Ex 6,16ff; 1 Sam 1,3).

Während Simeon und Levi offenbar schon früh ihre Selbständigkeit einbüßten (im Jakobsegen Gen 49,5–7 finden wir sie «in Israel zerstreut»; im Mosesegen wird Simeon überhaupt nicht mehr erwähnt, Levi ist bereits der priesterliche Stamm ohne Territorium: Dtn 33,8–11), dehnte Juda sein Gebiet nach Betlehem und nach der Schefela hin aus (wie vor allem die Listen 1 Chr 2 und 4 zu verstehen geben), bis er dann mit David die Führung im Stämmeverband übernahm (Gen 49,8–12).

Wie aber kam schließlich Nordpalästina in israelitische Hand? Nach dem Bericht von Jos 11 lieferte Josua einer Koalition nordkanaanäischer Könige unter der Führung des Königs von Hazor eine Schlacht bei den Wassern von Merom, die mit einem Sieg Josuas, der Einäscherung von Hazor und der Einnahme der übrigen nordkanaanäischen Städte durch «Israel» (VV. 5f.8.13f) endete. Aber wie die Einnahme Südpalästinas, so läßt sich auch jene Nordpalästinas schwer mit den übrigen in Jos 2–10 dargestellten Landnahmevorgängen verbinden. Vielmehr dürfte sie mit der Ansiedlung oder Ausbreitung der Nordstämme in Zusammenhang stehen.

Von diesen gelten zwei, *Issachar* und *Sebulon,* als Söhne Leas (Gen 30,17–20). Ihr Siedlungsgebiet auf den untergaliläischen Höhen (z. B. liegt Nazaret im Stammgebiet von Sebulon) mag sie in früher Zeit in die Nachbarschaft der beiden anderen Leasöhne Simeon und Levi gebracht haben (s. o. S. 68). Der gemeinsame heilige Berg Issachars und Sebulons war der Tabor. Ihre Ansiedlung in diesem Bergland mag schon auf die Mitte des 2. Jt. zurückgehen. Wenn es Gen 49,13 von Sebulon heißt, er wohne am Ufer des Meeres, so ist damit wohl gemeint, daß sich Angehörige des Stammes als Arbeiter in den Küstenstädten verdingten.

Dasselbe dürfte für den Mägdestamm *Ascher* gelten (Gen 30,12f: Ascher Sohn der Leamagd Silpa), der Ri 5,17 mit dem Meer in Verbindung gebracht wird. Er saß an den ölreichen (vgl. Gen 49,20; Dtn 33,24) westlichen Hängen der obergaliläischen Berge und stieß somit an das phönizische Küstenland. An den östlichen Hängen desselben Berglandes finden wir den anderen Mägdestamm *Naftali* (Gen 30,7f: Naftali Sohn der Rahelmagd Bilha). Daß die beiden Stämme von Mägden hergeleitet wurden, hängt vielleicht mit ihrer Vermischung mit kanaanitischen Elementen zusammen, vielleicht auch mit ihrer Existenz am äußersten Rand des Stämmever-

Abb. 7 *Olivenreichtum im Stammgebiet von Ascher*

bandes. Als Naftali nach der fruchtbaren Ebene drängte, dürfte es zur Auseinandersetzung mit den Städten um Hazor gekommen sein (Jos 11). Nach Ausweis der Archäologie wurde Hazor am Ende des 13. Jh. v. Chr. zerstört und führte im 12. und 11. Jh. ein ärmliches Dasein. Erst im 10. Jh. wurde es unter Salomo wieder zur befestigten Stadt.

Einen besonderen Weg nahm der Stamm *Dan.* Er hatte sich zunächst in der Schefela, in der Gegend von Zora und Eschtaol, niedergelassen (Ri 18,2), wo Simson sein berühmtester Stammesheld war (Ri 13,2.25). Später zog er von den westlichen Ausläufern der judäischen Berge in die Gegend der Jordanquellen (Ri 18). Diese Wanderung war durch mangelnden Siedlungsraum zwischen den Stämmen Juda und Benjamin und den Philistern bedingt. Die Simsongeschichte weiß von intensiven Kontakten der Daniten mit den Philistern. Vielleicht wird der Stamm deshalb von der Rahelmagd Bilha hergeleitet (Gen 30,5 f), wahrscheinlich aber, weil er nach seiner Wanderung in den äußersten Norden in die Nachbarschaft des Bilha-Stammes Naftali geriet und dort als kleiner, unbedeutender Stamm ein sehr isoliertes Dasein führte. Die Daniten eroberten die Stadt Lajisch und gaben ihr den Namen Dan. Die dort durchgeführten Ausgrabungen konnten das Datum dieser Zerstörung bisher nicht sicher festlegen. Jedenfalls dürfte sie nach der Zerstörung von Hazor, irgendwann im 12. Jh., erfolgt sein.

Das Beispiel des Stammes Dan zeigt, daß das Leben der Stämme nach ihrem Eindringen ins Kulturland zunächst sehr unstet war. Nicht nur, daß Stämme auftauchten und wieder verschwanden, wie wir es bei Ruben, Simeon (und Levi) gesehen haben. Sie blieben auch noch lange Zeit in Bewegung, bis sie ihren festen Siedlungsraum gefunden hatten. Das ist das Bild, das uns das Richter-Buch vermittelt. Von festen Grenzen kann somit in dieser Zeit noch keine Rede sein. Aber auch die nationale Einheit war noch in weiter Ferne. Oft kam es zu Rivalitäten und kriegerischen Auseinandersetzungen zwischen den einzelnen Stämmen (vgl. vor allem Ri 12,1–6; 19–21).

Außerdem mußten die Israeliten ihre schwer erworbenen Gebiete gegen immer neue Prätendenten verteidigen. Edomiter, Moabiter, Ammoniter, Midianiter machten ihnen vom Inneren des Landes her ihren Besitz streitig. Vom Meer her zogen die *Philister* herauf, ein äußerst kriegerisches Volk, mit dem sich die einzelnen Stämme während der ganzen Zeit der Landnahme auseinandersetzen mußten, wie wir aus dem Richter- und dem Samuelbuch erfahren. Als Reste jener «Völker des Meeres», die im Gefolge der Achäer von Westen her auf Ägypten anstürmten, jedoch von Ramses III. 1170 v. Chr. vernichtend geschlagen, am südpalästinischen Küstenstreifen angesiedelt wurden, drangen sie in dasselbe Gebiet vor, das die von Osten einströmenden Israeliten besetzen wollten. Zwangsläufig ergaben sich daraus erbitterte Kämpfe, die bis in die Zeit Davids reichten.

Dabei kam den Philistern zugute, daß Ägypten kaum mehr aktionsfähig war. Ein bezeichnendes Stimmungsbild vermittelt uns eine ägyptische Schrift über die Reise des Wen-Amun etwa 1100 v. Chr., also mitten in der biblischen Richterzeit (TGI 17). Wen-Amun wurde nach Byblos geschickt, um für die Renovation des Prozessionsschiffes des Gottes Amun von Theben das erforderliche Zedernholz zu beschaffen. Zedernholz bezog Ägypten aus Byblos schon seit dem 4. Jt. v. Chr. Wie gründlich sich aber die Lage geändert hatte, erhellt daraus, daß Wen-Amun sich bei der Entledigung seines Auftrags die übelsten Demütigungen gefallen lassen mußte. Die Schwäche Ägyptens wirkte sich auch auf die Situation Palästinas aus. Ungehindert konnten die Philister gegen die israelitischen Stämme im Hügelland (der Schefela) und auf dem Gebirge vorstoßen.

IV.

DAS DAVIDISCH-SALOMONISCHE GROSSREICH

Die mangelnde Einheit der Stämme stellte die kaum erst begründete Existenz Israels wieder in Frage. Hatten die Kräfte einzelner Stämme ausgereicht, um den Übergriffen aus dem Ostjordanland zu begegnen, so waren die Vorstöße, die die Philister von der Meeresküste her gegen israelitisches

Gebiet unternahmen, von ganz anderem Format. Hier ging es nicht mehr um zeitlich und örtlich begrenzte Aktionen an der Peripherie des israelitischen Stämmegebietes, sondern um den konzentrierten Angriff einer schlagfertigen Kriegsmacht gegen das gesamte israelitische Territorium. Bald hing die Existenz Israels nur noch an einem Faden. Die Philister hatten die Lade erbeutet (1 Sam 4,10f) und das Heiligtum in Schilo zerstört (vgl. Jer 7,12–14; 26,6.9). In Gibea, der Heimat Sauls, war ein Kontrollposten der Philister (1 Sam 10,5; 13,3). Und beim Tode Sauls haben diese so tiefe Keile in israelitisches Gebiet getrieben, daß sogar Bet-Schean in ihrer Hand ist (1 Sam 31,10). Ihre Machtstellung wurde dadurch noch absoluter, daß sie sich das Eisenmonopol gesichert hatten (1 Sam 13,19–22; s. o. S. 42). Deshalb ist es nicht verwunderlich, daß der Ruf nach der starken Hand eines Königs so laut geworden war.

1. Saul (1012–1004)

Bei der Wahl des ersten Königs richtete sich der Blick der Stämme spontan auf «Urisrael», auf den *Stamm Benjamin*. Daß es Saul war, der die Akklamation des Volkes auf sich vereinigte, lag vor allem an seinem in der Kraft des Geistes Gottes errungenen Sieg über die Ammoniter und seinem kühnen Entsatz der Festung Jabesch in Gilead (1 Sam 11). Der sakrale Akt der Königserhebung erfolgte in Gilgal, dem Stammesheiligtum von Benjamin (1 Sam 11,15). Seine Residenz nahm Saul in seinem Heimatort Gibea (heute *tell el-fūl,* 6 km nördlich von Jerusalem). Seine kleine, noch etwas unbeholfen gebaute Festung ist das erste uns bekannte israelitische Bauwerk von Bedeutung.

Trotz anfänglicher Erfolge (1 Sam 14), trotz vieler Feldzüge unter Einsatz seines Lebens vermochte Saul die ihm gestellte Aufgabe, die Befreiung Israels von der Philisterherrschaft, nicht zu erfüllen. Als er schließlich im Kampf gegen die Philister fiel, war die Lage Israels hoffnungsloser denn je. Auch die innenpolitische Aufgabe, die Stämme zu einer Einheit zusammenzuschließen, hatte er nicht gemeistert. Nach seinem Tod machten die Südstämme, ohne sich um das Einverständnis der Nordstämme zu kümmern, in ihrer Metropole Hebron den Judäer David zum König (2 Sam 2,4). Daß David der kommende Mann war, zeichnete sich schon zu Lebzeiten Sauls in aller Deutlichkeit ab. Die biblischen Berichte kreisen fast ausschließlich um das Verhältnis Sauls zu David, Sauls eigene Leistung verschwindet im Schatten seines großen Nachfolgers, über die eigentlichen Regierungstaten Sauls erfahren wir verhältnismäßig wenig.

2. David (1004–965)

David galt in der israelitischen Überlieferung stets und mit Recht als der größte König Israels. Von entscheidender Bedeutung für die ganze folgende Geschichte Israels war es, daß er dem *Stamm Juda* angehörte. Damit ging die politische Führung ein für allemal von den Nordstämmen auf die Südstämme über. Das bedeutet nicht nur, daß das politische Schwergewicht sich nun vom Norden auf den Süden verlagerte. Vielmehr erhielt Juda durch diese Wendung erst seine geschichtliche Bedeutung. Es hatte ja bisher im Stämmeverband kaum eine Rolle gespielt. Im Mosesegen Dtn 33,7 erscheint Juda noch immer isoliert, den Anschluß an die übrigen Stämme suchend. Erst der brillanten Persönlichkeit Davids verdankt es seine Führungsstellung im Stämmeverband. Diese Situation spiegelt sich im Jakobsegen Gen 49,10 wider.

Allerdings war es zunächst nur der Stamm Juda im Süden, der David in Hebron zum König erkor (2 Sam 2,1–4). David suchte zwar sofort auch die Gunst der ostjordanischen und der Nordstämme zu gewinnen (2,5–7). Dennoch beschritten diese einen anderen Weg; Abner, der Feldherr Sauls, der nach der Philisterniederlage mit dem Rest der Armee nach Gilead geflohen war, machte dort den letzten Sohn Sauls, Ischbaal, zum König «über ganz Israel» (das heißt über die Nordstämme: 2,8f). Dies hatte eine längere Auseinandersetzung zwischen den beiden Rivalen zur Folge. Erst als Abner und Ischbaal durch Mörderhand gefallen waren, war der Weg für die Einigung frei. Die Nordstämme sehnten sich nun selbst nach einem starken Führer, der sie vom Joch der Philister befreite, und niemand eignete sich dazu besser als David. So kamen denn ihre Ältesten nach Hebron, um ihn zum König über Israel anzuerkennen (5,1–5). Damit war aber noch nicht die Einheit des Reiches gegeben. Vielmehr war David jetzt König über zwei politische Größen, von denen jede bereits eine eigene monarchische Vergangenheit hatte. Er wurde also König über ein Doppelreich, das er in einer Art Personalunion verband: er war König über «Israel und Juda» (2 Sam 5,5; 11,11; 24,9).

Allerdings sind wir auch über die Regierung Davids recht schlecht informiert. Die Quellen, die ausführlich berichtet hatten, wie das Königtum von Saul auf David überging, konzentrieren sich nun zunächst auf die Eroberung Jerusalems und wenden sich hernach der Vorbereitung der Thronnachfolge Davids zu. Wir haben es somit mehr mit einer Familiengeschichte Davids als mit der seines Reiches zu tun. Immerhin können wir die außenpolitischen Ereignisse in ihren wesentlichen Zügen rekonstruieren. Die Philister, die sich um das Königtum Davids in Hebron wenig gekümmert hatten, greifen zu den Waffen, sobald er König über ganz Israel geworden ist. Die Kämpfe mit ihnen müssen sich über längere Zeit hingezogen haben. Es gelingt aber David, die Suprematie der Philister über Israel zu brechen, so daß sie fortan nie mehr eine ernsthafte Gefahr darstellen (5,17–25). Vielmehr vertauschen sich die Rollen: die Philisterstädte kommen unter den Herrschaftsbereich Davids, und Philister treten als Söldner der königlichen Garde bei.

Auch mit den übrigen Nachbarvölkern wußte David fertig

zu werden. Edom wurde zu einer von Statthaltern verwalteten Provinz des Reiches gemacht (2 Sam 8,13 f), Moab zu einem tributpflichtigen Vasallenstaat (8,2), Ammon schlechthin unterworfen und dem Reich einverleibt (10,1 ff; 12,26–31); die Aramäer kamen wohl mit einer einmaligen Tributzahlung davon (8,3–10). Mit Tyrus unterhielt David freundliche Beziehungen. So war zum erstenmal in der Geschichte auf syrisch-palästinischem Boden ein einheimisches Großreich entstanden.

Um die Einigung des Reiches zu bewerkstelligen, die David als seine Hauptaufgabe betrachtete, galt es sodann, die kanaanitischen Stadtstaaten zu absorbieren. Die Liga der Gibeonitenstädte, die Saul hart bedrückt hatte, wurde dadurch gewonnen, daß David ihnen die Nachkommen Sauls auslieferte (21,1–9). Die bedeutsamste Tat Davids aber war die Eroberung der Enklave Jerusalem, die vom kanaanäischen Stamm der Jebusiter bewohnt war (5,6–8). Dieses Unternehmen war schon rein militärisch betrachtet eine großartige Leistung, denn Jerusalem galt als uneinnehmbar, weil es stark befestigt und auf drei Seiten von tiefen Tälern umgeben war. Daß David daraufhin seine Residenz nach Jerusalem verlegte (5,9), zeugt in besonderem Maße von seiner politischen Treffsicherheit. Für sein Ziel, Nord- und Südstämme zu vereinen, war Jerusalem als Hauptstadt des Reiches geradezu prädestiniert. Schon geographisch lag es genau auf der Grenze zwischen den Nord- und Südstämmen (das heißt auf der Stammesgrenze zwischen Juda und Benjamin). Vor allem aber war es eine «neutrale» Stadt, die bisher keinem Stamm angehört hatte und somit zu keiner Animosität Anlaß geben konnte. Schließlich scheint Jerusalem schon in kanaanitischer Zeit einen sakralen Charakter gehabt zu haben (vgl. Gen 14,18; Ps 110). Offenbar hat David nicht nur das alte Heiligtum Jerusalems, sondern auch dessen Priesterschaft übernommen und jahwisiert; auch darin erweist sich seine politische Klugheit: der Klerus war eine Macht.

So konnte David auf den politischen und kultischen Voraussetzungen, die Jerusalem bot, aufbauen. Die Stadt wurde in der Folge keinem Stammgebiet einverleibt, sondern blieb die persönliche Domäne Davids, womit er ein politisches Zentrum gewann, das an keinen bestimmten Stamm gebunden war. Um die Stadt nicht nur zum politischen, sondern auch zum kultischen Zentrum des Reiches zu machen, ließ er die heilige Lade der Stämme von Kirjat-Jearim nach Jerusalem überführen (6,1–19) und traf umfangreiche Vorbereitungen für den Bau eines Jahwetempels, dessen Ausführung er allerdings selber nicht mehr erlebte (7; 24,18–25).

Solche Maßnahmen machen das Bestreben nach einer Zentralisierung des Reiches deutlich. Ihr dienten auch eine Volkszählung (2 Sam 24,1–9), der Aufbau eines Beamtenapparates (8,15–18; 20,23–26; 1 Chr 18,14–17) und die Errichtung eines ständigen Heeres (1 Chr 27,1–15). So bot die Herrschaft Davids ein glanzvolles Bild. Leider wird dieses beeinträchtigt durch die menschlichen Schwächen Davids (2 Sam 11), seine zum Teil traurige Familiengeschichte (13,19–36; 15,1–19,9) und die trüben Machenschaften um seine Thronnachfolge. Aber auch politisch blieb David ein dauerhafter Erfolg versagt. Trotz seiner Bemühungen um die Einigung der Nation mußte er nordisraelitische Aufstände niederschlagen (2 Sam 20,1–22; vgl. 16,5–13; 18,6–15; 19,17–24), die eroberten Randstaaten konnten dem Reich nicht assimiliert werden, und auch die innere Einigung Israels brachte David nicht zustande, wie die folgenden Ereignisse zeigen.

Dennoch haben sich in der Geschichte wenige Herrscherhäuser so lange behaupten können wie das davidische. Während sich im Nordreich im Verlauf von etwa zweihundert Jahren neun Dynastien ablösten, hielt sich die davidische Dynastie in Jerusalem mehr als vierhundert Jahre. Die biblische Überlieferung sieht die Erklärung für diese außergewöhnliche Erscheinung in einer besonderen Erwählung, die dem Davidshaus zuteil wurde (2 Sam 7).

3. Salomo (965–926)

Aus den Hofintrigen um die Thronnachfolge Davids ging Salomo, der Sohn der Batseba, als Sieger hervor (1 Kön 1). Noch zu Lebzeiten Davids wurde er zum König gesalbt und trat die Herrschaft an. Er war somit zunächst Mitregent neben David. Das erste Königsbuch überliefert uns die Ereignisse seiner Regierung mehr in logischer als in chronologischer Reihenfolge: die Weisheit Salomos (3,1–5,14), seine Bauten (5,15–9,25), sein Handel (9,26–10,29), schließlich die Schattenseiten seines Charakters und seiner Herrschaft (11,1–43). Tatsächlich lag in der Regierung Salomos nicht mehr die gleiche Dynamik wie in jener Davids. Bei Salomo ging es darum, das Gewonnene zu erhalten, auszubauen und vor allem zu nützen.

Seine außenpolitischen Geschäfte waren mehr diplomatischer als kriegerischer Art. Der Pharao von Ägypten (21. Dynastie) gab ihm seine Tochter zur Frau, die von ihrem Vater die Stadt Geser als Mitgift erhielt (1 Kön 3,1; 9,16f). Auch die Freundschaft mit Tyrus, die David angebahnt hatte, wurde von Salomo fortgeführt und befestigt (5,15–26). Vor allem aber knüpfte er ausgedehnte Handelsbeziehungen mit den Nachbarvölkern an. Palästina ist unter Salomo ein Umschlagplatz für den internationalen Handel geworden. Dieser zog wohl auch die Königin der südarabischen Kolonie der Sabäer nach Jerusalem (10,1–10). Von Zilizien[33] werden Pferde nicht nur für den eigenen Bedarf Salomos, sondern auch nach Ägypten exportiert, andererseits kommt von Ägypten Kriegsmaterial nach Syrien (10,28f). Palästina selber liefert Getreide und Öl gegen Holz vom Libanon (5,24f). Im mittleren Jordantal (7,46) arbeitet die Metallindustrie Salomos. Hingegen wurde die Ausbeutung der Kupferminen in der Nähe von Ezjon-Geber fälschlich Salomo zugeschrieben (s. o. S. 42). Die Handelstransporte werden nicht nur durch Karawanen ausgeführt (10,15), vielmehr unterhält Salomo in Verbindung mit Hiram und seinen phönizischen Seeleuten sogar eine Flotte im Roten Meer (9,26; 10,22), die Gold aus Ofir (wahrscheinlich Westarabien und das gegenüberliegende Somaliland) bringt (9,28; 10,11).

Weniger gut gestalteten sich indes die Beziehungen zu den Edomitern und den Aramäern. In Edom konnte ein einheimischer Prinz, Hadad, der unter David nach Ägypten geflohen war, die Gewalt an sich reißen (11,14–22). Salomo behielt allerdings die Kontrolle über den Handelsweg zum Roten Meer. Bei den Aramäern gründete ein gewisser Reson eine unabhängige Dynastie in Damaskus (11,23–25). So begann das davidische Großreich bereits zu zerbröckeln, auch wenn das Damaszenerreich erst den Nachfolgern Salomos gefährlich werden sollte.

Der Handel brachte Salomo großen Reichtum ein; dieser wurde aber auch wieder vollständig absorbiert durch seine aufwendige Hofhaltung und besonders durch seine Bauten. Das zeigt der Bericht 1 Kön 7 über die Profanbauten Salomos («Libanonwaldhaus» – eine Halle mit drei Reihen von je 15 Zedernsäulen –, Gerichtshalle, Palast des Königs und Palast der Tochter des Pharao), der allerdings nur recht dürftige Angaben vermittelt, und die breit angelegte Darstellung vom Bau des Jahwetempels. Die Auslegung dieser Beschreibung bereitet jedoch große Schwierigkeiten. Ihr Verfasser lebte im Exil und hatte somit den Tempel nicht mehr vor Augen.

Dennoch festigte Salomo die innere Einheit des Reiches noch weniger als David, vielmehr bereitete gerade er den kommenden Zerfall vor. Salomo teilte das Reich in zwölf Verwaltungsbezirke ein, von denen aber Juda ausgenommen war (dieses genoß, gleichsam als Privatdomäne des Königs, ein Spezialstatut: 4,7–19; 5,7f). Während die hohen Beamten des Verwaltungsapparates fast alle Judäer waren (4,1–6), hatte Israel drückende Steuern zu erbringen, die Kanaanäer sogar Frondienste zu leisten (9,20–22). Damit förderte Salomo die von Anfang an vorhandenen, im Gegensatz Juda/Israel wurzelnden separatistischen Tendenzen. Besonders schmerzlich mußte es die israelitischen Patrioten berühren, daß Salomo einen galiläischen Distrikt mit zwanzig Städten bedenkenlos an den König von Tyrus verkaufte, um seine Bautätigkeit im Süden des Landes zu finanzieren (9,11–14). Kein Wunder daher, daß sich schon zu Lebzeiten Salomos der Abfall der Nordstämme abzeichnete. Die Exponenten der Rebellion waren der Efraimit Jerobeam und der Prophet Ahija. Für den Augenblick mißlang der Streich: Jerobeam mußte fliehen (11,26–40). Aber nach dem Tod Salomos war der Bruch nicht mehr aufzuhalten.

V.

DIE GETRENNTEN REICHE JUDA UND ISRAEL (926–722)

1. Die Reichsteilung

Rehabeam, der Sohn Salomos, wurde von den Judäern ohne weiteres als König akzeptiert, da sie von seinem Vater begünstigt worden waren und das bereits bei Salomo angewandte Prinzip der Erbfolge anerkannten. In der Doppelmonarchie des davidisch-salomonischen Reiches mußte der Thronfolger aber auch von Israel zum König proklamiert werden. Die Nordstämme hielten nämlich weiterhin daran fest, daß die Monarchie auf einem freien Vertrag zwischen dem von Jahwe bezeichneten Mann und dem Volk beruht (vgl. 1 Sam 11,5–15; 2 Sam 5,1–3). Deshalb begibt sich Rehabeam nach Sichem, der Metropole der Nordstämme. Diese lehnen den judäischen Thronprätendenten nicht grundsätzlich ab, verlangen aber eine gerechtere Verteilung der Steuerlasten. Die kurzsichtige Unnachgiebigkeit Rehabeams führt den Bruch herbei, und die Nordstämme haben ihren König rasch gefunden: es ist *Jerobeam,* der einstige Revolutionär unter Salomo, der schnell aus seiner ägyptischen Verbannung zurückgekehrt ist (1 Sam 12,1–20). Daß er seine Residenz in Sichem

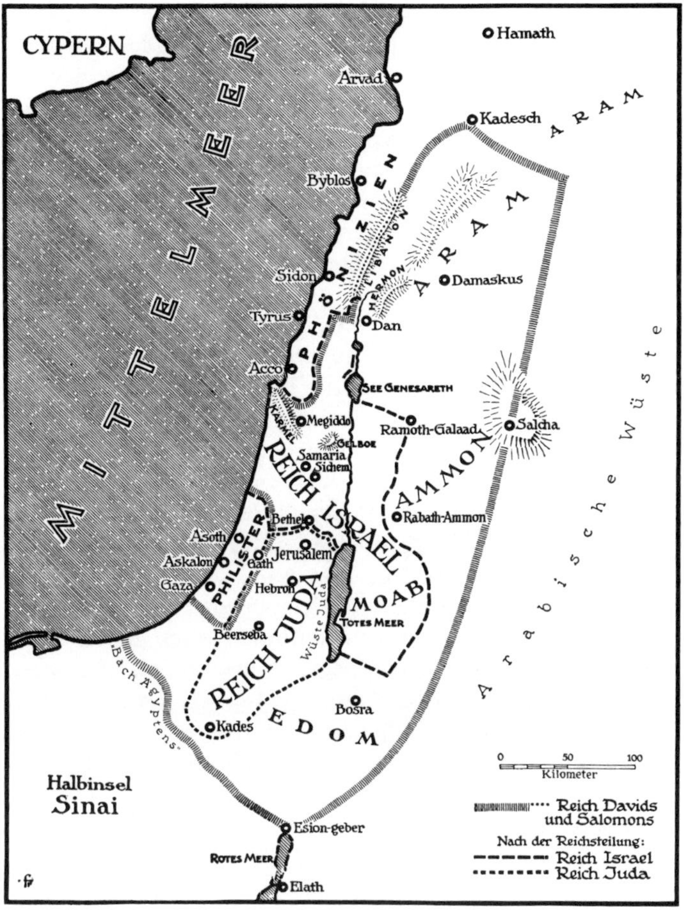

Abb. 8 *Das davidisch-salomonische Großreich und die getrennten Reiche Juda und Israel*

nimmt, wo er zum König ausgerufen worden war, ist fast selbstverständlich, bestanden doch bei den mittelpalästinischen Stämmen starke Bindungen an das Heiligtum von

Sichem (Jos 24). Dem Nachkommen Davids verbleiben nur Juda und die konföderierten Sippen des Südlandes. Die Residenz des judäischen Reiches wird aber nicht nach Hebron, dem traditionellen politischen Zentrum der judäischen Sippen, zurückverlegt. Durch die Überführung der heiligen Lade, durch den Tempelbau, durch die Residenz- und Verwaltungsbauten und die Organisation des Verwaltungsapparates war Jerusalem schon zu sehr als Hauptstadt geprägt, als daß diesbezüglich das Rad der Geschichte hätte zurückgedreht werden können.

Die Reichsteilung wird vielfach Schisma genannt. Auf der *politischen* Ebene ist dieser Ausdruck unzutreffend. Es darf nicht übersehen werden, daß die Reichseinheit unter David und Salomo gewissermaßen zufälligen Charakter hatte. Der Bruch war faktisch eine Rückkehr zum Normalzustand, wie er seit der Landnahme und während der Richterzeit geherrscht hatte und durch die davidisch-salomonische Doppelmonarchie nur vorübergehend aufgehoben worden war. Auf *religiöser* Ebene kann aber wohl von einem Schisma gesprochen werden. Zwar wollte Jerobeam, als er dem Jerusalemer Tempel eigene Reichsheiligtümer, einen eigenen Kult und einen eigenen Kalender gegenüberstellte, nur die politische Einheit treffen (1 Kön 12,26–33). Die Stierbilder, die er in Bet-El und Dan aufstellen ließ, sollten durchaus Symbole Jahwes sein. Indem sie aber für den bildlosen Gott Israels die Darstellung Baals imitierten, gaben sie Anlaß zur Trübung des orthodoxen Empfindens und führten schließlich zur Apostasie.

2. Juda und Israel bis zur Revolution des Jehu (926–845)

Zwar konnte ein Bruderkrieg zwischen den beiden Reichen durch das Auftreten des Propheten Schemaja zunächst vermieden werden (1 Kön 12,21–24). Bald aber brachen die Feindseligkeiten trotzdem aus und zogen sich über fünfzig

Jahre hin. Von der beidseitigen Schwäche zog der Pharao *Schoschenk I.* (in der Bibel Schischak genannt) Gewinn. Er hatte die 21. ägyptische Dynastie gestürzt und die 22. begründet. Da das Königshaus von Juda mit der 21. Dynastie verschwägert war (Salomo hatte eine Tochter des letzten Pharao der 21. Dynastie geheiratet), mußte Schoschenk Juda als Feind betrachten. Vor allem aber wollte er die alten Ansprüche Ägyptens auf Palästina anmelden. So fiel er im 5. Jahr Rehabeams (922) in Juda ein und plünderte die Schätze des Tempels und des Königspalastes (1 Kön 14,25f). Die biblische Notiz darüber werden wir dahin zu verstehen haben, daß es Rehabeam gelang, die judäischen Städte und besonders Jerusalem durch Entrichtung eines Tributs freizukaufen, denn diese fehlen in der Liste der 165 eroberten Städte, die Schoschenk auf einer Wand des großen Amun-Tempels in Karnak anbringen ließ. Hingegen gehören fünfzig der dort aufgezählten Städte zum Nordreich Israel. Zwar hören wir in der Bibel nichts von einem Einfall Schoschenks in Israel. Daß dieses aber nicht verschont blieb, wird durch ein Stelenfragment mit dem Namen Schoschenks bestätigt, das bei den Ausgrabungen in Megiddo gefunden wurde. In Jerusalem muß die Plünderung eine ungeheure Ernüchterung bewirkt haben. Die salomonische Herrlichkeit hatte keine dreißig Jahre gedauert!

Um solche Einfälle künftig zu vermeiden, sah sich Rehabeam veranlaßt, die südlichen und westlichen Grenzstädte seines Reiches zu befestigen. Die Liste 2 Chr 11,5–11 zeigt, wie klein das Gebiet von Juda geworden war. Wir entnehmen daraus auch, daß es eine feste Nordgrenze gegen Israel offenbar nicht gab. Während der beständigen Kriege zwischen Juda und Israel unter den Nachfolgern Rehabeams, Abija und Asa, rückte sie bald vor, bald wich sie wieder zurück. Unter *Asa* (908–868) lag sie nur wenige Kilometer nördlich von Jerusalem (vgl. 1 Kön 15,17). Dies veranlaßte den König zu einem unglückseligen Schritt: er verbündete sich mit dem nördlichen Gegner Israels, Ben-Hadad I. von Damaskus, der auf diese Weise in Galiläa Fuß fassen konnte (15,18–21). Durch dieses schmachvolle Bündnis trat ein neues Element in die Beziehungen der Bruderreiche, das schließlich zum Untergang beider führen sollte.

Die Geschicke des Nordreiches waren ebenso ruhmlos wie jene des Südreiches. Was dort vor allem fehlte, war eine dynastische Tradition. Ein Herrscherhaus wurde durch das andere gestürzt, und kurz hintereinander erlagen drei Monarchen einem gewaltsamen Tod. Eine gewisse Beruhigung trat erst mit *Omri* (882–871) ein. Dieser sechste König Israels eröffnete bereits die vierte Dynastie. Erst unter ihm erhielt das Nordreich auch eine endgültige Hauptstadt. Nach dem Einfall Schoschenks war diese von Jerobeam vorübergehend von Sichem nach Penuel in Transjordanien und dann nach Tirza (wahrscheinlich *tell el-fār*ᶜ*a* im *wādi fār*ᶜ*a,* südöstlich von Sichem) verlegt worden, wo wir bereits seinen Nachfolger Bascha finden (1 Kön 15,21.33).

Offenbar genügte diese Residenz auf die Dauer den Ansprüchen des Reiches nicht. Die Gründung einer neuen Hauptstadt auf dem von ihm erworbenen, dominierenden Hügel von Samaria ist die einzige Tat, die die Bibel aus der Regierungszeit Omris erwähnt (16,24). Tatsächlich kann diese Gründung mit der Eroberung Jerusalems durch David verglichen werden. Samaria war eine neue, traditionslose Stadt, und sie lag im Zentrum des Nordreiches, mit guten Verbindungen nach Norden und Westen. Während Israel in der Weltpolitik bisher überhaupt keine Rolle gespielt hatte, offenbarte Omri mit der Gründung Samarias außenpolitische Interessen. Das Nordreich trat nun in das verwickelte Kräftespiel der damaligen vorderasiatischen Politik ein. Wenn Omri in den Phöniziern einen Alliierten suchte, so ging es ihm darum, gegen die aramäische Gefahr ein Gegengewicht zu finden. Denn ganz nebenbei erfahren wir, daß er eine Reihe von Städten an die Aramäer verloren hatte (20,34). Deshalb auch die Heirat seines Sohnes Ahab mit Isebel, der Tochter des Königs von Sidon (16,31). Religiös betrachtet, bedeutete diese Allianz den Ruin des Nordreiches; vom politischen Standpunkt aus aber kann Omri als der eigentliche Gründer des Reiches Israel betrachtet werden, wie dieses denn in den assyrischen Annalen noch nach dem Sturz der Omri-Dynastie *bīt ḫumria,* «Haus des Omri» genannt wird.

Omris Sohn *Ahab* (871–852) setzte die Politik seines Vaters fort. Er legte den Streit mit dem Reich Juda, der seit der Reichstrennung angedauert hatte, bei und schloß mit König Joschafat von Juda eine Allianz, die wiederum durch eine Heirat besiegelt wurde: Ahab gab seine Tochter Atalja Joram, dem Sohn Joschafats, zur Frau (2 Kön 8,26). Die Verbindung mit Phönizien und der sich daraus ergebende Handel brachten dem Nordreich großen Reichtum ein. Ahab erweiterte den Palast, den sein Vater Omri in Samaria gebaut hatte, in glänzender Weise. Daß dieser wegen der vielen darin verwendeten Elfenbeingeräte den Namen Elfenbeinhaus (1 Kön 22,39) verdiente, haben die Ausgrabungen bestätigt. So erreichte Israel unter Ahab die Periode seines höchsten Glanzes.

Auch außenpolitisch taktierte Ahab geschickt. *Ben-Hadad II.* von *Damaskus* wurde nach anfänglichem Erfolg von Ahab geschlagen und gefangen genommen (1 Kön 20,1–34). Wenn Ahab seinen Gegner gegen politische und kommerzielle Konzessionen schonte, dann deshalb, weil bereits eine neue Gefahr bedrohlich heraufzog: *Assyrien,* das seit Beginn des 9. Jh. eine gezielte Expansionspolitik nach dem Westen betrieb. Gegen diese schlossen sich die Fürsten Syriens zusammen, und als es 854 mit Salmanassar III. bei Karkar am Orontes zur Schlacht kam, kämpften die Streitkräfte Ahabs Seite an Seite mit denen von Damaskus. Die Schlacht blieb unentschieden, aber Salmanassar kehrte nach Assyrien zurück. Die Bibel schweigt über das Ereignis.[34] Es ist jedoch einer der wichtigsten Fixpunkte für die biblische Chronologie.

Kaum war die assyrische Gefahr vorderhand abgewendet, entzweiten sich Israel und Damaskus wieder. Es kam zum

Kampf um die Grenzfestung Ramot in Gilead, bei dem Ahab tödlich verwundet wurde (1 Kön 22). Der Bericht über den Zug gegen Ramot und die vorherige Befragung der Propheten zeigt, in welche Krise die Jahwereligion unter Ahab gekommen war. Auf Druck seiner Gattin Isebel war der Baalkult offiziell im Reich eingeführt worden. Samaria hatte fortan einen Baaltempel (vgl. 2 Kön 10,21 ff). Daß der Jahweglaube trotzdem nicht unterging, sondern sich auch angesichts blutiger Verfolgung behauptete, ist vor allem das Verdienst des Propheten Elija (1 Kön 17f).

3. Von der Revolution des Jehu bis zum Untergang des Nordreiches (845–722)

Prophetische Kreise waren es auch, die den Sturz der Omri-Ahab-Dynastie herbeiführten, indem sie in einem blitzschnellen Handstreich den Heerführer *Jehu* zum König ausrufen ließen, der mit den Baalverehrern gnadenlose Abrechnung hielt (2 Kön 9f). Fast gleichzeitig ging eine solche Säuberung auch im Südreich vor sich. Dieses hatte, während Ahab in Samaria regierte, in *Joschafat* (868–847) einen außen- wie innenpolitisch tüchtigen König gehabt, der sich auch als religiöser Reformator betätigte (1 Kön 22,41–51; 2 Chr 17,1–9). Sein einziger Fehler war seine starke Bindung an Ahab von Israel. Er gab seine Zustimmung zur Heirat seines Sohnes *Joram* mit *Atalja,* der Tochter Ahabs und Isebels. Dieser gelang es nach dem Tod ihres Gatten Joram und ihres Sohnes Ahasja sogar, sich zur Königin aufzuwerfen (845–840). Als sie schließlich von einer durch die Jahwepriester mit Hilfe des Heeres und der Bauern inszenierten Palastrevolution gestürzt wird, hören wir von der Zerstörung eines Baaltempels in Jerusalem – ein solcher war offenbar unter ihrer Herrschaft gebaut worden (2 Kön 11; 2 Chr 22,10–23,21).

Jehu eröffnete im Nordreich die fünfte Dynastie, die sich rund hundert Jahre halten konnte (845–747). Für das Reich stand es beim Wechsel der Dynastie allerdings nicht zum Guten, im Gegenteil, es ging abwärts mit Israel. Damaskus wurde dermaßen aufsässig, daß Jehu keinen anderen Ausweg sah, als dessen größtem Feind, den Assyrern, Tribut zu bezahlen (842), wie wir aus den Annalen Salmanassars III. wissen (TGI 20). Damaskus rächte sich und entriß Jehu ganz Transjordanien bis zum Arnon (2 Kön 10,32f). Gleichzeitig (ca. 840) sagte sich auch der Moabiterkönig Mescha von Israel los (Mescha-Inschrift, s.u. S. 132ff; vgl. 2 Kön 3,4–27). Erst unter dem vierten und letzten König der Jehu-Dynastie, *Jerobeam II.* (787–747), kam Israel nochmals zur Blüte. Damaskus und Assyrien waren vorübergehend schwach, so daß Israel alle seine ehemaligen Territorien zurückgewinnen konnte. Die Handelsbeziehungen brachten dem Reich große Reichtümer ein; doch führte der Wohlstand zu einem Niedergang von Religion und Moral, namentlich der sozialen Moral. In dieser Zeit wirken die Propheten *Amos* und *Hosea* im Nordreich; sie werden nicht müde, diese glänzende, aber ganz verweltlichte Kultur zu geißeln. Mit dem Tod Jerobeams II. und dem Ende der Jehu-Dynastie beginnt für Israel die Agonie.

Zur gleichen Zeit erlebte das Südreich Juda unter König *Asarja* (*Usija,* 787–736) eine ähnliche Blüte. Die Gründe waren die gleichen: Friede mit Israel, Schwäche von Damaskus und Assyrien, Förderung des Acker- und Weinbaus und des Außenhandels. Und auch die Folgen waren die gleichen: Reichtum, Verweltlichung, soziale Mißstände. Unter diesem König beginnt *Jesaja* sein Wirken im Südreich.

Von jetzt an wird die Geschichte der beiden Reiche durch das Wiedererwachen *Assyriens* bestimmt. Es ist *Tiglat-Pileser III.* (745–726), in der Bibel auch Pul genannt (2 Kön 15,19), der die frühere Expansionspolitik nach dem Westen wieder aufnimmt. Er unterwirft Syrien, und 738 muß *Menahem* von Samaria Tribut bezahlen (15,19f; TGI 24). Aber sein Nachfolger *Pekach* bringt eine Koalition gegen Assyrien zusammen, der außer Damaskus noch vier weitere Verbündete angehören. Mit Gewalt wollen sie auch *Ahas* von Juda (741–725) zum Beitritt zwingen (syro-efraimitischer Krieg). Vergeblich mahnt Jesaja zum Vertrauen auf Jahwe (Jes 7,1–9). Ahas läßt sich von menschlichen Überlegungen leiten und ruft gegen die Koalition den Assyrer zu Hilfe, der bereits in Syrien eingedrungen ist (2 Kön 16,5–11). Tiglat-Pileser erobert nicht nur Damaskus, sondern entreißt auch dem israelitischen Nordreich die Landschaften Gilead und Galiläa (2 Kön 15,29, vgl. Jes 8,23) und macht daraus die assyrischen Provinzen Gilead, Megiddo und Dor. Israel verbleibt nur das efraimitische Bergland mit der Stadt Samaria. Als schließlich Pekachs Mörder *Hoschea* nach dem Tod Tiglat-Pilesers 726 den Tribut verweigert und mit Ägypten unterhandelt, ist der Untergang Israels besiegelt. Sogleich rückte der neue assyrische König *Salmanassar V.* heran und nahm die Stadt nach dreijähriger Belagerung ein (zwischen Dezember 722 und April 721; TGI 29), worüber Salmanassars Nachfolger Sargon II. in seinen Annalen Näheres berichtet (TGI 30).[34a] Damit war der Staat Israel ausgelöscht; sein Territorium wurde zur assyrischen Provinz Samaria *(samerina).* Ein Teil der Bevölkerung wurde deportiert und in Nordmesopotamien und Medien angesiedelt, wo sie sowohl völkisch wie religiös von ihrer Umwelt aufgesogen wurde (2 Kön 17,6). Umgekehrt siedelte Salmanassar (und auch noch seine Nachfolger) ein buntes Gemisch von Leuten aus anderen Ländern in Samaria an. Dadurch entwickelte sich auf dem Boden Samarias ein religiöser Synkretismus (2 Kön 17,24–41), dessen Folgen sich bis in die neutestamentliche Zeit hinein auswirkten.

VI.

DAS ENDE DES REICHES JUDA (722–587)

Durch seinen Appell an Assyrien hatte sich *Ahas* zwar gerettet, aber er hatte damit auch seine Freiheit verkauft. Nachdem Tiglat-Pileser Damaskus erobert hatte, zog Ahas wie sein

Kollege Hoschea von Samaria dorthin, um sich ihm zu unterwerfen (2 Kön 16,10). Seitdem wird jede Manifestation der Selbständigkeit von Assyrien als Verrat gewertet werden.

Der Nachfolger des Ahas war sein frommer Sohn *Hiskija* (725–697). Die Katastrophe des Nordreiches hatte in Juda einen tiefen Eindruck hinterlassen. Weil man als Hauptursache den Abfall von Jahwe sah, leitete Hiskija eine religiöse Reform ein, die ein Dreifaches enthielt: Kampf gegen den religiösen Synkretismus und den Götzendienst, Wiederherstellung des reinen Jahwekultes im Tempel und Zentralisierung des gesamten Kultes in Jerusalem durch Unterdrückung der Höhenheiligtümer (2 Kön 18,1–6). Für den inneren Wohlstand des Reiches unternahm Hiskija verschiedene größere Werke. Besonders bekannt wurde – weil heute noch feststellbar – der in den Felsen gehauene unterirdische Kanal, der die Wasser der Gihonquelle in den neuen Schiloachteich innerhalb der Stadtmauer leiten sollte. Am Ausgang des Teiches wurde die Schiloachinschrift gefunden (TGI 38).

Das größte außenpolitische Ereignis war, daß Hiskija den Tribut an Assyrien verweigerte. Das glaubte er sich leisten zu können, weil auch Merodach-Baladan von Babel sich von Assyrien unabhängig gemacht hatte und nun nach Verbündeten suchte (2 Kön 20,12–21). Andere assyrische Vasallen hatten bereits früher das assyrische Joch abgeworfen und mit Ägypten unterhandelt. Vergeblich versuchte Jesaja, den König von einem Bündnis mit Ägypten abzubringen (Jes 30f). Dennoch sollte ihn dieses schließlich vor einer Katastrophe bewahren. Im Jahr 701 rückte nämlich der Assyrerkönig Sanherib heran und unterwarf rasch die anderen Verbündeten, so daß Hiskija ihm allein gegenüberstand. Von Lachisch aus, wo er sein Hauptquartier aufgeschlagen hatte, verlangte Sanherib durch eine Gesandtschaft die Übergabe der Stadt, und nur durch das Heranrücken eines ägyptischen Heeres wurde er zum Abzug veranlaßt (2 Kön 18,13–19,36; 2 Chr 32; Jes 36f; assyrischer Bericht auf dem «Taylorzylinder» [Abb. 9, S. 90]; TGI 39). Jerusalem war gerettet.[35]

Abb. 9 *«Taylor-Zylinder», sechsseitiges Tonprisma (38 cm hoch), 691 v. Chr., das den assyrischen Annalenbericht über den Feldzug Sanheribs und die Belagerung Jerusalems 701 v. Chr. enthält.*

Unter Hiskijas ruchlosem Sohn *Manasse* (696–642) schlug das Pendel sowohl politisch wie religiös total zurück. Eine Welle von Heidentum flutete über das Reich Juda hin und fegte die ganze Reform des Hiskija wieder hinweg (2 Kön 21,1–18). Politisch war Manasse Assyrien völlig ergeben und zahlte dem König Asarhaddon Tribut (TGI 41). Seine Richtung wurde fortgesetzt durch seinen Sohn *Amon*, der aber nur zwei Jahre regierte (641–640).

Joschija (639–609) ist der letzte große König von Juda und neben Hiskija der einzige, dem der Redaktor der Königsbücher ungeteiltes Lob spendet (2 Kön 22,1–23,30; vgl. 2 Chr 34f). Das assyrische Reich war im Niedergang begriffen, und so konnte Joschija sowohl auf profanem wie auf religiösem Gebiet ungehindert reorganisieren. Die Bibel spricht sich allerdings nur über die religiöse Reform aus, die durch die Auffindung des «Gesetzbuches» im Tempel im Jahr 622 einen mächtigen Auftrieb erhielt (2 Kön 22f).

622 erhebt sich ein gewisser *Nabopolassar* in Babel gegen die assyrische Herrschaft und gründet das neubabylonische Reich. Vereint mit den Medern erobert er 614 Assur, 612 Ninive. Vergeblich versucht der Pharao *Necho II.* 609, dem in der Agonie liegenden Assyrerreich nochmals zu Hilfe zu eilen. Indes hatte sein Zug nach Asien für das Reich Juda entscheidende Folgen. Dort hatte der Untergang Assyriens einen gewaltigen Jubel ausgelöst, und niemand konnte wünschen, daß dem alten Feind noch geholfen würde. So stellte sich Joschija dem heranrückenden Pharao beim Paß von Megiddo entgegen (er hatte offenbar die Hand wieder auf Gebiete des ehemaligen Nordreiches legen können, ohne von Assyrien daran gehindert zu werden), bezahlte aber das tollkühne Unternehmen mit dem Tod (2 Kön 23,29f).

Von jetzt an sollten sich die Ereignisse überstürzen. Ägypten konnte seine Suprematie über Syrien/Palästina nicht lange behaupten. 605 erstürmte der babylonische Kronprinz *Nebukadnezzar* die Festung Karkemisch am Eufrat, und nachdem er sich den Anspruch auf den Thron gesichert hatte, setzte er den Vormarsch nach Palästina fort. 604/3 mußte sich der judäische König *Jojakim* unterwerfen, rebellierte aber drei Jahre später (601) schon wieder (2 Kön 24,1), nachdem die Babylonier in Ägypten eine Niederlage erlitten hatten. Nebukadnezzars Strafexpedition gegen Jerusalem traf jedoch nicht mehr Jojakim, sondern bereits seinen Sohn *Jojachin*. Die Babylonier eroberten Jerusalem am 15./16. März 597 und nahmen eine erste Deportation vor. An Stelle des Jojachin machte Nebukadnezzar dessen Onkel *Zidkija* zum König (2 Kön 24,10–17; TGI 44B). Er ist der letzte König der davidischen Dynastie (597–587).

Zidkija war ein schwacher Mann, hin und hergerissen zwischen der babylonischen und der ägyptischen Partei. Der Unterwerfung unter das babylonische Joch redete vor allem der Prophet Jeremia das Wort (Jer 27), jedoch gewannen die ägyptenfreundlichen Hofkreise das Übergewicht, und Zidkija trat einer vom Pharao Apries (Hofra) angeführten Koalition gegen Babel bei. Sofort rückte Nebukadnezzar heran, und nach eineinhalbjähriger Belagerung wurde Jerusalem am 29. Juli 587 gestürmt, Zidkija auf der Flucht ergriffen und ins Hauptquartier der Babylonier nach Ribla gebracht, seine Söhne vor seinen Augen niedergemacht, er selbst geblendet, Jerusalem geplündert, eingeäschert, die städtische Bevölkerung deportiert (2 Kön 25,1–21).

Dennoch war die Behandlung Judas durch Nebukadnezzar verhältnismäßig mild. Wir hören nichts von einer Ansiedlung fremder Kolonisten. Eine besondere Vergünstigung bestand auch darin, daß Nebukadnezzar über die Provinz Juda keinen babylonischen Statthalter einsetzte, sondern einen bürgerlichen Judäer namens Gedalja, einen klugen, besonnenen, edel denkenden Mann, Freund und Gesinnungsgenossen des Jeremia. Er nahm seine Residenz in Mizpa. Unter seiner Führung hätte die zurückgebliebene Bevölkerung wohl bald wieder zur Ruhe und zu einem geordneten bürgerlichen Leben kommen können. Doch wurde Gedalja schon nach drei Monaten durch einen ehrgeizigen Fanatiker aus dem Königshaus ermordet (2 Kön 25,22–26; Jer 40,7–41,18). Vermutlich wurde Juda nun unter direkte babylonische Verwaltung genommen und dem Staathalter von Samaria unterstellt.

Wenn auch die Babylonier darauf verzichtet hatten, fremde Kolonisten anzusiedeln, so benützten die Nachbarvölker um so begieriger die willkommene Gelegenheit, in den dezimierten Raum vorzustoßen. Vor allem waren es vom Süden her die *Edomiter,* die sich ihrerseits von den nachstoßenden arabischen Stämmen der Nabatäer bedrängt sahen. Die Erbitterung der Judäer über das Hohngelächter der Edomiter spiegelt sich in zahlreichen Propheten- und Psalmtexten wider (Ez 25,1ff; 35,10ff; 36,1ff; Ps 79,12; 137; Klgl 3,46ff; 4,22).

VII.

DIE PERSISCHE ZEIT (538–331)

1. Kyrus

Geistesgeschichtlich war das babylonische Exil (586–538) eine der fruchtbarsten Zeiten der israelitisch-jüdischen Geschichte. Die geistigen Führungskräfte sowohl der Exilsgemeinde wie der in Palästina Zurückgebliebenen entfalteten eine erstaunliche Produktivität, und wir verdanken ihnen bedeutende Teile der alttestamentlichen Literatur. Doch davon ist hier nicht zu handeln. Als völkische und politische Größe trat Juda erst wieder in das Licht der Geschichte, als der Perser *Kyrus II.* aus dem Fürstenhaus der *Achämeniden* (559–529) das persische Weltreich gegründet, im Jahr 539 Babel (und damit alle Provinzen des babylonischen Reiches einschließlich Palästina) erobert und den dort exilierten Judäern durch ein königliches Edikt die Freiheit eingeräumt hatte, in die Heimat zurückzukehren und in Jerusalem den Tempel Jahwes wieder aufzubauen (Esra 1,2–5; 6,3–5). Unter der

Führung eines gewissen Scheschbazzar, den Kyrus für die Aufgabe mit dem Amt und Titel eines *peḥāh* (Statthalter, Kommissar) ausstattete, zog eine erste kleine Gruppe von Heimkehrern 538 nach Jerusalem, um den Tempelbau in Gang zu bringen (Esra 1,5–11). Über die Errichtung des Brandopferaltars scheint man aber nicht hinausgekommen zu sein. Der Tempelbau nahm erst Gestalt an, als 521 eine mächtige Karawane unter Führung des Davididen Serubbabel den Rückweg nach Palästina antrat (Esra 2). Angefeuert durch die Predigt der Propheten Haggai und Sacharja (Esra 5,1; Hag 1; Sach 4,6–10) machten sie sich 520 ans Werk (Esra 5,2), und trotz eines Störmanövers durch die Samaritaner konnte der Tempel nach viereinhalbjähriger Bauzeit 515 eingeweiht werden (4,1–4.24; 5,3–6,18).

2. Nehemia und Esra

War Kyrus der Gründer des persischen Reiches, so haben wir in seinem zweiten Nachfolger *Darius I.* (521–485) dessen genialen Organisator zu sehen. Er teilte das Reich in zwanzig Provinzen oder Satrapien ein. Palästina gehörte zur fünften Satrapie, deren Name in der aramäischen Verwaltungssprache Abar-Nahara («Jenseits des [Eufrat-]Stromes», Transeufratien) hieß. Wir wissen jedoch nicht sicher, wo deren Satrap residierte. Jedenfalls scheint für Jerusalem – wenigstens zunächst – ein in Samaria sitzender Statthalter zuständig gewesen zu sein. Eine größere Selbständigkeit erhielt Jerusalem offenbar durch *Nehemia,* der im 20. Jahr Artaxerxes' I. (464–424), somit 445, mit außergewöhnlichen Vollmachten des persischen Hofes ausgestattet nach Jerusalem kam, um die Mauern der Stadt wieder herzustellen (Neh 1,1–7,3). Diese wurden im Jahr 444 eingeweiht, worauf die Stadt wieder besiedelt werden konnte (vgl. Neh 7,4ff).

Handelte es sich beim Mauerbau um ein gnädiges Entgegenkommen der persischen Zentralregierung, so scheint diese

Abb. 10 *Der Vordere Orient in persischer Zeit*

den moralischen Aufbau des jüdischen Gemeinwesens bewußt und gezielt gefördert zu haben. Es gehörte zu den Prinzipien persischer Politik, die nationalen und religiösen Traditionen der unterworfenen Völker zu respektieren, weil man sich davon eine größere Stabilität des Reiches versprach als von Gewaltmaßnahmen. Von daher ist die Verfügung des Kyrus zu verstehen, die Kosten nicht nur für den Neubau des Tempels, sondern auch für den regulären Kult aus Staatsmitteln zu bestreiten (Esra 6,4.8–10). Vollends findet diese Politik ihre Bestätigung in der Mission des Schriftgelehrten *Esra*, der im 7. Jahr des Artaxerxes mit einer neuen Karawane von Heimkehrwilligen nach Jerusalem gesandt wurde, um dort das jüdische Gesetz zu lehren und seine Befolgung zu erzwingen (Esra 7). Welcher Achämenidenkönig hier gemeint ist, ob Artaxerxes I. (464–424) oder Artaxerxes II. (404–358), ist umstritten. Je nachdem wäre mit dem 7. Regierungsjahr des Königs das Jahr 458 oder 398 gemeint; sehr wahrscheinlich ist es das zweite.

Esra sah seine Hauptaufgabe als Reformator im Kampf gegen die Mischehen, die die nach außen hin schwache jüdische Gemeinde von innen her in ihrem Bestand bedrohten. Wo kein König und kein Staatsgebilde mehr die Existenz gewährleistete, konnte sie nur noch vom Gesetz gesichert werden. Hand in Hand damit ging eine Übergewichtung des Kultischen und ein Machtzuwachs der Priesterschaft. Hatte diese früher gewissermaßen im Schatten des Königtums gestanden, so war sie jetzt – bei der relativen Unabhängigkeit von der persischen Zentralregierung – zur ersten Macht im Lande aufgerückt, und der erste Priester des Jerusalemer Tempels, der «Hohepriester», wurde zum unbestrittenen obersten – und durchaus nicht nur auf das «Geistliche» beschränkten – Führer des Volkes.

3. Das samaritanische Schisma

Im Zusammenhang mit dem Tempel- und dem Mauerbau erwähnen die Bücher Esra/Nehemia mehrmals Quertreibereien von seiten der *Samaritaner* (Esra 4,2ff; Neh 4,1ff). Die Animositäten zwischen Judäern und Samaritanern haben ihre letzten Wurzeln im alten Gegensatz zwischen Süd- und Nordstämmen und die durch diese heraufbeschworene Teilung des davidisch-salomonischen Reiches, wodurch die Gebiete des Nordreiches vom Jahwetempel in Jerusalem abgeschnitten wurden (s. o. S. 80ff). Sie wurden jedoch verschärft durch den Untergang des Nordreiches, durch die Einpflanzung fremder Kolonisten in Samarien und den durch diese dort entwickelten religiösen Synkretismus (s. o. S. 88). Das dominierende Element unter den heidnischen Siedlern scheinen Leute aus Kuta (ca. 25 km nordöstlich von Babel) gewesen zu sein (2 Kön 17,24), weshalb die Samaritaner in der späteren Literatur oft schlechtweg die Kutäer genannt werden.

Vollends mußten die Spannungen zum offenen Bruch treiben, als Jerusalem in der persischen Verwaltung zwar politisch dem Statthalter von Samaria unterstand, zugleich aber sein Tempelbau und sein religiöses Eigenleben von der persischen Zentralregierung nachhaltig gefördert wurde. Damit bestanden nebeneinander zwei Zentren, ein politisches in Samaria und ein religiöses in Jerusalem. Die Samaritaner versuchten der wachsenden Bedeutung Jerusalems dadurch zu begegnen, daß sie sich um die Beteiligung am Tempelbau bewarben (Esra 4,1–5). Als sie abgewiesen wurden, rächten sie sich durch Denuntiation (5,3 ff). Die Rivalität der beiden Zentren konnte auf die Dauer nur entschärft werden, indem Judäa mit Jerusalem politisch aus dem Provinzverband Samarias herausgelöst wurde, was mit der Ernennung des Nehemia zum Provinzstatthalter geschah (Neh 5,14). Die unvermeidliche Reaktion des Statthalters von Samaria, Sanballat, waren Intrigen gegen den Mauerbau Nehemias (Neh 4,1–3) und Nachstellungen gegen seine Person (6,1–14). Der nächste Schritt der Samaritaner ergab sich von selbst: Sie bauten auf dem Berg Garizim einen eigenen Tempel, der aber durchaus als Jahwetempel verstanden wurde. Wann dies geschah, können wir nicht mit Sicherheit sagen, vielleicht schon unter Nehemia, vielleicht auch erst gegen Ende des 4. Jh. Der Tempel blieb bis 107 v. Chr. bestehen, dann wurde er von Johannes Hyrkan zerstört (s. u. S. 105). Aber der Garizim blieb weiterhin Opferstätte der Samaritaner (vgl. Joh 4,20). Und bis heute feiern die wenigen hundert überlebenden Samaritaner dort das Paschafest nach alter Weise.

VIII.

DIE GRIECHISCHE ZEIT

1. Alexander der Große und seine Nachfolge

Im 4. Jh. v. Chr. ist das persische Reich, das einst unter Kyrus so glorreich emporgestiegen war, am Ende seiner moralischen Kräfte. Die Dynastie der Achämeniden ist degeneriert. Wieder muß ein Mann kommen, der gleich einem zweiten Kyrus auf den Schauplatz tritt und mit einem Schlag das politische und kulturelle Antlitz der alten Welt verändert. Es ist der Makedonier *Alexander der Große.*

Als Philipp von Makedonien im Jahr 359 den Thron bestieg, lag sein Reich, das sich im 5. Jh. an der Seite der Griechen zu höchster Blüte erhoben hatte, in den letzten Zügen. Als er jedoch 336 ermordet wurde, war Makedonien ein Großreich, unter dessen Führung die griechischen Staaten zum sogenannten «Korinthischen Bund» zusammengeschlossen waren. Zum erstenmal hatte Europa ein politisches Gebilde von weltgeschichtlicher Dimension hervorgebracht. Philipps Sohn Alexander baute das Erbe seines Vaters mit zielbewußter Überlegenheit aus. Mit 20 Jahren tritt er die Herrschaft an, mit 33 stirbt er: In 13 Jahren schafft er eine neue Welt.

Alexander ist von Anfang an von der Idee erfüllt, alle griechischen Streitkräfte unter seiner Führung zu einen und gegen das Perserreich einzusetzen, um alle Unbill zu rächen, die das griechische Volk, angefangen von Marathon, durch die Perser erlitten hatte. Im Frühjahr 334 bricht er nach dem Orient auf, stößt aber nach der siegreichen Durchquerung Kleinasiens nicht sofort ins Herz des Perserreiches vor, sondern wendet sich nach Süden, bringt die phönikischen Küstenstädte und Palästina in seine Hand, setzt sich in Ägypten die Doppelkrone der Pharaonen aufs Haupt und gründet die

Abb. 11 *Die griechische Welt und der Hasmonäerstaat*

Stadt Alexandrien, die in der Folge zum wichtigsten Zentrum der jüdischen Diaspora werden sollte. Dann wendet er sich nach Norden, überquert Eufrat und Tigris, schlägt Darius III. bei Gaugamela (in der Nähe des ehemaligen Ninive) und zieht kampflos in Babel ein. Der Reihe nach fallen Susa, Persepolis, Ekbatana.

Kaum hat aber Alexander sein erstes Ziel, die Niederwerfung des persischen Reiches, erreicht, steckt er sich bereits ein noch kühneres: die Beherrschung der ganzen Welt bis zu ihren äußersten Grenzen. Mit seinen makedonischen Truppen setzt er den Vormarsch fort bis zum Fuß des Himalaja, kehrt 324 nach Susa zurück und verheiratet dort zehntausend Mann seines Heeres mit Iranerinnen, um das makedonische und das persische Reich unauflösbar miteinander zu verschmelzen. Er selbst nimmt eine Tochter des letzten Perserkönigs Darius III. zur Frau. Im folgenden Jahr (323) wird er in Babel von einem Fieber dahingerafft.

Nach dem Tod Alexanders des Großen wurde sein Reich unter seine Generäle, die sogenannten *Diadochen* («Nachfolger») geteilt. Sie spielten zunächst die Rolle der bisherigen Satrapen, legten sich aber bald, einer nach dem anderen, den Königstitel bei (vgl. 1 Makk 1,1–10; Dan 11,3f).

In Babylon konnte sich ein gewisser *Seleukos,* ein ehemaliger vertrauter Soldat Alexanders, zum Satrapen aufschwingen (312). Dieses zunächst nicht besonders spektakuläre Ereignis wurde später für so bedeutungsvoll angesehen, daß es zum Ausgangspunkt einer neuen Zeitrechnung erhoben wurde, der Ära der Seleukiden (beginnend 1. Oktober 312), nach der auch in den Makkabäerbüchern gerechnet wird. Als Satrap von Babylon fielen Seleukos die östlichen Provinzen des Alexanderreiches zu. Durch seinen Sohn Antiochos bemächtigt er sich überdies Syriens. Im Jahr 305 nahm er den Königstitel an und begründete damit die Dynastie der *Seleukiden.* Als Residenz schuf er sich im Jahr 300 die Stadt Antiochia am Orontes, die bei der Ausbreitung des jungen Christentums eine entscheidende Rolle spielen sollte (Apg 11,26 u. a.). In Antiochia, wie auch in anderen Städten, die er gründete, siedelte Seleukos Juden an. Sein Reich umfaßte bei seinem Tod Syrien, Mesopotamien, Armenien, ganz Kleinasien, Thrakien und Makedonien (vgl. Dan 11,5).

Palästina aber gehörte zunächst noch zum Machtbereich der Ptolemäer. Der Makedonier *Ptolemaios,* der Sohn des Lagos, des Leibwächters Alexanders, hatte Ägypten als Satrapie erhalten. Auch er warf sich 305 zum König auf und begründete die Dynastie der *Ptolemäer* oder *Lagiden,* die 31.

und letzte Dynastie der ägyptischen Geschichte (305–30 v. Chr.). Rasch legte er auch die Hand auf Palästina. Vor allem aber war es *Ptolemaios II. Philadelphos* (283–246), der dem Land seinen bis heute deutlich wahrnehmbaren Stempel aufdrückte, indem er bestehende Städte hellenisierte und neue (z. B. Gerasa) gründete (s. S. 37f). Der wichtigste Stützpunkt der Lagidenherrschaft in Palästina wurde die alte Hafenstadt Akko, die der König nun nach seinem Namen Ptolemais benannte (vgl. Apg 21,7). Ebenso wurde die alte Hauptstadt der Ammoniter in Transjordanien, Rabbat Ammon, nach dem Namen der Königin in Philadelphia umbenannt.

In Antiochia übernahm 223 *Antiochos III. Megas* die Herrschaft (223–187). Sie sollte für Palästina schicksalhaft werden. Denn in mehreren und mit wechselndem Erfolg geführten kriegerischen Auseinandersetzungen mit seinem ägyptischen Gegenspieler Ptolemaios IV. gelang es Antiochos im Jahr 200 (198?), Palästina den Ptolemäern zu entreißen und dem Seleukidenreich einzuverleiben. Für die Bevölkerung Palästinas sollte dieser Wechsel nicht nur eine politische, sondern bald auch eine religiöse Wende bedeuten. Die Ptolemäer hatten den Juden und ihren Institutionen wohlwollend gegenübergestanden. Besonders in Alexandrien machten die Juden ein ansehnliches Kontingent der Bevölkerung aus, und viele Juden leisteten Söldnerdienste im Heer der Ptolemäer. Auch in Palästina dürften die Ptolemäer die liberale Politik der Achämeniden fortgesetzt haben. Dennoch scheint die jüdische Bevölkerung Palästinas den Übergang von der ptolemäischen zur seleukidischen Herrschaft begrüßt zu haben. Antiochos III. war ein geschickter Politiker, der sich das Wohlwollen der neuen Untertanen durch Kultspenden und Steuererleichterungen sicherte (TGI 53).

Bald sollte sich jedoch der heraufziehende Sturm ankündigen. Zwar hören wir vom Nachfolger Antiochos III., *Seleukos IV. Philopator* (187–175), er habe aus einem persönlichen Sonderfonds den Aufwand für den Opferdienst am Tempel von Jerusalem bestritten, und die Person des frommen Hohenpriesters Onias schien Gewähr dafür zu bieten, daß alles zum Besten stand (2 Makk 3,1–3). Andererseits aber erscheint der biblische Bericht, Seleukos habe versucht, Hand an den Tempelschatz zu legen, angesichts der Finanzmisere, in der er sich befand, durchaus glaubwürdig, auch wenn das 2. Makkabäerbuch nicht frei ist von legendären Zügen (2 Makk 3,4–40).

Die Erzählung macht aber vor allem deutlich, daß die inneren Spannungen, die die jüdische Gemeinde bedrohten, größer waren als die äußeren. Gerade die Tatsache, daß sowohl Alexander der Große wie die Ptolemäer wie die ersten Seleukiden die religiöse Freiheit der Juden in keiner Weise antasteten, sondern diesen sogar eher eine bevorzugte Behandlung zuteil werden ließen, barg die Gefahr in sich, die man durch die Heimsuchung des babylonischen Exils für immer gebannt glaubte: Die Grenze zwischen Judentum und Heidentum begann sich zu verwischen, und heidnische Lebensauffassung beeinflußte in wachsendem Maß jüdisches Denken.

Alexander der Große hatte durch sein Vordringen im Orient eine kulturelle und religiöse Bewegung ins Leben gerufen, für die sich die Bezeichnung *Hellenismus* eingebürgert hat. Mit Hilfe einer einheitlichen griechischen Weltsprache überfluteten griechische Philosophie, griechische Literatur, griechische Baukunst, griechische Lebensweise den Orient und führten auch auf religiösem Gebiet zu einer Verschmelzung griechischer und orientalischer Kulte. Der Gegensatz zwischen der jüdischen Offenbarungsreligion und dem Evangelium ungehemmten Sich-Auslebens, das der Hellenismus predigte, kommt plastisch zum Ausdruck im Buch der Weisheit, das aus dieser Zeit stammt (vgl. besonders Weish 2). Die Schrift zeigt, daß der Angriff des Hellenismus auf das Judentum wie auch die jüdische Abwehr zunächst mit geistigen Waffen geführt wurde. Dies ändert sich, als 175 v. Chr. *Antiochos IV.* mit dem Beinamen *Epiphanes* («der Erscheinende» [Gott]) zur Herrschaft kam.

2. Der makkabäische Aufstand

Die Hellenisierungsbestrebungen Antiochos' IV. wurden zunächst durch eine starke griechenfreundliche Partei in Jerusalem begünstigt. So wurde der König denn auch, als er im Jahr 175 zum erstenmal Jerusalem besuchte, vom Hohenpriester und den Juden feierlich empfangen. Als aber die Römer seinen Versuchen, sich Ägyptens zu bemächtigen, entgegentraten, bekamen die Juden seinen Unmut zu spüren. Er plünderte den Tempelschatz, unterdrückte die Opposition und überließ es seinen Statthaltern in Zölesyrien, die Hellenisierung der Juden zu beschleunigen. Der Tempel wurde entweiht, der Sabbat geschändet, die heiligen Bücher verbrannt und ihr Besitz untersagt, die Beschneidung verboten, der Genuß von Schweinefleisch erzwungen. Hatte die griechenfreundliche Partei bisher sein Vorgehen noch gebilligt, so stieß Antiochos auf allgemeinen Protest, als er versuchte, den Kult des Olympischen Zeus in Jerusalem einzuführen (1 Makk 1,56–62). Dieses Attentat auf die Religion der Väter scheiterte an der Volksbewegung der *Makkabäer.*

Nach anfänglichem passiven Widerstand bis zum Martyrium (vgl. 2 Makk 7) ging das Signal zur aktiven Erhebung nicht von Jerusalem, sondern vom Städtchen Modein (28 km nordwestlich von Jerusalem) aus. Ihr Urheber war der greise Priester Mattatias mit seinen fünf Söhnen (1 Makk 2). Sie bekamen Zuzug von der «Versammlung der Asidäer» (1 Makk 2,42), einer rein religiösen Partei (hebr. *ḥ̥asīdīm* = Fromme), die entgegen dem Hellenismus eine strenge Beobachtung des Gesetzes forderte. Aus ihr gingen später die Parteien der Essener und der Pharisäer hervor. Nach dem baldigen Tod des Mattatias stellte sich sein dritter Sohn *Judas* (166–160) mit dem Beinamen *«der Makkabäer»* (= der Hämmerer?) an die Spitze des Widerstandes (1 Makk 3,1 ff). Zwei in rascher Folge errungene Siege führten dazu, daß Judas Jerusalem (mit Ausnahme der syrischen Burg auf dem Zionsberg) besetzen und den Gottesdienst wieder einrichten konnte. Die Wiedereinweihung des Tempels (165) sollte jährlich durch ein Gedenkfest (das Chanukka-Fest) gefeiert werden (1 Makk 4,36–59). Obwohl Judas erneut zurückgeworfen wurde, ließen sich die Syrer zu einem Vergleich herbei, in dem den Juden feierlich die *freie Ausübung ihrer Religion* zugestanden wurde (1 Makk 6,59). Damit war das eigentliche Ziel der makkabäischen Erhebung erreicht. Um das syrische Joch vollends abzuschütteln, wandte sich Judas an die Römer (1 Makk 8). Damit provozierte er jedoch einen sofortigen Gegenschlag der Syrer, und Judas fiel im Kampf (1 Makk 9).

Die Anhänger des Judas wählten seinen Bruder *Jonatan* (160–143) zu ihrem Haupt und Anführer (1 Makk 9,28–31). Er verstand es, zwischen 160 und 153 seine Gefolgschaft zu einer starken Partei aufzubauen, um deren Gunst schließlich sogar die rivalisierenden syrischen Thronprätendenten buhlten. Jonatan wußte dies geschickt zu Konzessionen auszunützen und erreichte, daß er 153 vom Seleukiden Alexander Balas zum *Hohenpriester* (1 Makk 10,20), 150 zum *«Feldherrn und Statthalter»* von Judäa ernannt wurde (1 Makk 10,65), allerdings noch immer unter der formellen Oberhoheit des Seleukidenkönigs. Damit war das zweite Ziel der Makkabäer erreicht: die Alleinherrschaft der religiös-nationalen Partei. Die folgenden Versuche Jonatans, seine Macht auszubauen, erregten jedoch das Mißtrauen der Syrer. Jonatan ließ sich in einen Hinterhalt locken und wurde ermordet (1 Makk 12,39–53).

Jonatan hatte keinen Zweifel darüber aufkommen lassen, daß er die völlige Unabhängigkeit von Syrien anstrebte. Die Bedeutung seines Bruders und Nachfolgers *Simon* (143–134) liegt darin, daß er dieses Ziel verwirklichte und Judäa zu einem selbständigen Staat machte. Er vertrieb die syrische Besatzung aus der Burg von Jerusalem (142; 1 Makk 13,49–52). Was Simon noch fehlte, war einzig die formelle Anerkennung durch das eigene Volk. Dies geschah durch einen Volksbeschluß vom Jahr 141, durch den Simon zum *«Hohenpriester, Heerführer und Volksfürst»* der Juden *«auf ewige Zeit»* ernannt wurde, «bis ein glaubwürdiger Prophet erstände» (1 Makk 14,41). «Auf ewige Zeit» bedeutete, daß seine Würde erblich sein sollte. Damit war eine jüdische Dynastie geschaffen, die die religiöse und politische Gewalt gleichzeitig innehatte. Sie wird nach Haschmon, dem angeblichen Ahnherrn des Mattatias, *die Dynastie der Hasmonäer* genannt.

3. Der Hasmonäerstaat

Der neue Staat wurde von den Hasmonäern als Theokratie aufgefaßt, in der die politische und religiöse Gewalt in einer Person vereinigt war. Dies entsprach keineswegs der bisherigen Tradition, und die Herrscher hatten auch keine Legitimation für die hohepriesterliche Würde aufzuweisen. Als Ideal schwebte ihnen ein Staat vor Augen, in dem die Durchführung des mosaischen Gesetzes von Staats wegen und wenn nötig mit Gewalt gesichert würde. Sie schreckten deshalb auch nicht davor zurück, bei der Erweiterung ihres Gebietes der neuannektierten Bevölkerung die mosaische Religion mit Gewalt aufzuzwingen.

Vor allem die Herrschaft des *Johannes Hyrkan* (134–104) ist durch Härte und Fanatismus gekennzeichnet. Es ging ihm nicht mehr bloß darum, die Apostaten in den eigenen Reihen auszumerzen (hier war die Säuberung bereits durchgeführt), sondern sich an den alten Feinden Israels zu rächen, die den Bedrückern immer wieder Helferdienste geleistet hatten. Zunächst wendet sich Hyrkan gegen die *Araber,* die auf der moabitischen Hochebene sitzen, und sichert sich dadurch feste Stützpunkte im Ostjordanland. Dann kehrt er sich gegen Norden, gegen die *Samaritaner,* die seit 300 Jahren mit den Juden keine Gemeinschaft mehr pflegten. Hyrkan erobert und zerstört Sichem, ebenso ihren Tempel auf dem Garizim (107). Im Süden richtet sich der Kampf gegen die *Idumäer,* die immer noch vom alten Haß Esaus gegen Jakob erfüllt sind (man erinnere sich an die Ereignisse nach der babylonischen Deportation, s. o. S. 93). Hyrkan bemächtigt sich ihrer wichtigsten Städte. Die Bewohner werden geschont unter der Bedingung, daß sie das mosaische Gesetz annehmen. Ihr Gebiet wird eine Toparchie von Judäa. Sie werden später den Aufstand der Juden gegen Rom mit ganzem Eifer unterstützen. Dennoch wurden sie von den Juden immer nur als Halbjuden betrachtet. Als solcher galt auch der Idumäer Herodes, obwohl in seiner Familie die Beschneidung auf das gewissenhafteste beobachtet wurde.

Hatten bisher die Hasmonäer den Titel König vermieden und sich mit dem Titel Ethnarch begnügt, so änderte sich dies unter dem nächsten Herrscher, *Aristobul I.* (104–103). Er nannte sich formell *basileus*, regierte jedoch zu kurze Zeit, um auch eigene Münzen prägen zu können. Deshalb ist dieser Titel numismatisch erst unter seinem Nachfolger *Alexander Jannäus* (103–76) belegt. Alexander dehnte den Proselytismus auf Galiläa aus. Er eroberte die Gebiete um den See Gennesaret und stellte die Bewohner vor die Wahl zwischen Beschneidung und Enteignung. So wurde Galiläa seit der assyrischen Eroberung 732 (s. o. S. 88) erstmals wieder judaisiert. Weil es sich aber um eine erzwungene Maßnahme handelte, saß das Judentum bei den Galiläern nicht besonders tief.

Dies war der Grund des Mißtrauens, mit dem ihnen die jüdische Orthodoxie in Jerusalem begegnete, wie die Evangelien zeigen. Um der Judaisierung Galiläas größeren Nachdruck zu verschaffen, siedelte Alexander Jannäus zusätzlich Leute aus der Kernprovinz Judäa in Galiläa an. So treffen wir zur Zeit Jesu in Galiläa Leute an, die in Judäa beheimatet sind, wie Josef, der Vater Jesu (Lk 2,4).

Innenpolitisch ist die Herrschaft Alexanders gekennzeichnet durch sein radikales Zerwürfnis mit den Pharisäern und seine Hinwendung zu den Sadduzäern. Die Pharisäer erklärten ihm den offenen Krieg und prägten sogar eigene Münzen.[36]

Nach Alexanders Tod ging kraft letztwilliger Verfügung das Königtum auf seine Gattin *Alexandra* über (76–67). Sie war die einzige Frau auf dem Thron der Hasmonäer. Da sie aber nicht, wie die bisherigen Herrscher, auch die geistliche Gewalt inne haben konnte, ernannte sie sogleich ihren ältesten Sohn Hyrkan zum Hohenpriester. Im übrigen war sie das genaue Gegenteil ihres Mannes. War dieser ein rücksichtsloser Despot gewesen, so war sie eine gottesfürchtige Regentin, was ihr vor allem die Sympathie der Pharisäer eintrug. Aber auch beim Volk hinterließ sie ein gutes Andenken, denn das Land hatte unter ihrer Herrschaft Frieden. Das wurde mit ihrem Tod wieder völlig anders.

Denn sofort begann ein Bruderkrieg zwischen ihren Söhnen *Hyrkan II.* und *Aristobul II.* Dieser endete schon nach vier Jahren damit, daß die Freiheit, die man gegen die Syrer mit größten Opfern erkauft hatte, an die Römer verloren ging. Während nämlich Hyrkan und Aristobul miteinander im Kampf lagen, war Pompeius auf einem Feldzug durch Asien begriffen und kam nach Damaskus. Dort wurden drei jüdische Parteien bei ihm vorstellig: Hyrkan und Aristobul bewarben sich um den Thron. Das Volk wollte von beiden nichts wissen und verlangte die Abschaffung des Königtums und die Wiederherstellung der alten priesterlichen Verfassung. Pompeius ließ Aristobul fallen. Denn seine Anhänger verteidigten Jerusalem, während Hyrkan den Römern die Tore öffnete. Ohne Schwertstreich nahmen diese von der Stadt Besitz (63 v. Chr.). Nur der Tempelberg, auf dem sich die Anhänger des Aristobul verschanzt hatten, mußte von den Römern unter großem Blutvergießen erkämpft werden. Pompeius selbst drang in das Allerheiligste des Tempels ein, das nur der Hohepriester betreten durfte. Er nahm Aristobul als Gefangenen mit nach Rom, wo er später von den Pompeianern vergiftet wurde. Dem Hyrkan beließ Pompeius die hohepriesterliche Würde, jedoch ohne jede weltliche Gewalt. *Palästina wurde dem römischen Reich einverleibt und der Provinz Syrien angegeliedert.*

IX.

DIE RÖMER

Die von Pompeius im Jahr 63 v. Chr. geschaffene Situation änderte sich mit dem Auftreten Julius Cäsars. Dieser errang 48 v. Chr. den Sieg über Pompeius und erschien alsbald mit einem Heer in Ägypten, um sich auch in den Provinzen des Vorderen Orients Anerkennung zu verschaffen. Hyrkan begriff sofort, daß er fortan von der Gnade dieses Mannes abhing, und als Cäsar im ägyptischen Krieg in eine heikle Situation geriet, sandte ihm Hyrkan dreitausend Mann jüdischer Truppen zu Hilfe. Nach dem errungenen Sieg lohnte Cäsar diese Leistung damit, daß er Hyrkan zum *Ethnarchen* der Juden ernannte und Palästina wieder von der römischen Provinz Syrien trennte. So besaß es von 47 v. Chr. an wieder eine gewisse politische Freiheit.

Mit diesem Jahr 47 beginnt der Aufstieg des *Herodes*. Er war der Sohn des Hausverwalters Hyrkans, Antipater. Dieser hatte schon längst die Zügel in der Hand und beherrschte Hyrkan völlig, so daß jener nur noch dem Schein nach die Regierung ausübte. Antipater war Idumäer, seine Gattin Kypros die Tochter eines arabischen Fürsten, so daß sein Sohn Herodes überhaupt kein jüdisches Blut in seinen Adern hatte. Im entscheidenden Jahr 47 wurde Herodes (er war damals etwa 27 Jahre alt) von seinem Vater Antipater zum Statthalter von Galiläa eingesetzt, wo er erfolgreich gegen Räuberbanden kämpfte. Das Jahr 40 brachte eine Wende. Denn mit Hilfe der Parther schien es einem Abkömmling des in Rom umgebrachten Hasmonäers Aristobul, Antigonus, zu gelingen, in Palästina die Macht an sich zu reißen. Herodes floh nach Ägypten und setzte von dort nach Rom über, wo er durch geschickte Machenschaften und Geld erreichte, daß er vom Senat zum *König über Judäa* ernannt wurde (40 v. Chr.). Allerdings mußte er sich sein Königreich zuerst erobern. Er landete im Jahr 39 in Ptolemais (Akko), sammelte ein Heer, unterwarf rasch das ganze Land, und nach fünfmonatiger Belagerung ergab sich Jerusalem. Herodes konnte seine Herrschaft antreten (37 v. Chr.) und sie bis zu seinem Tod (4 v. Chr.) behaupten.

Nach der Niederwerfung seiner äußeren Feinde mußte Herodes mit seinen Widersachern unter seinen Untertanen fertig werden. Er ließ nicht nur alle Nachkommen der hasmonäischen Dynastie (einschließlich seiner Lieblingsfrau Mariamne, die eine hasmonäische Prinzessin war), sondern auch deren einflußreichste Anhänger umbringen. Um den Glanz seiner Herrschaft zu erhöhen, entfaltete er eine beispiellose Bautätigkeit. Ganze Städte wurden buchstäblich aus dem Boden gestampft, so vor allem *Cäsarea am Meer* (nach Cäsar Augustus benannt), an dem zwölf Jahre gebaut und das mit Juden und Griechen bevölkert wurde. Die Stadt *Samaria,* die sich in einem armseligen Zustand befand, erhob Herodes zu neuem Glanz und nannte sie mit dem gräzisierten Namen des Augustus Sebaste. In *Jerusalem* schuf Herodes ein Theater und ein Amphitheater, die Tempelburg Antonia und für sich einen Palast am höchsten Punkt der Oberstadt (das spätere Prätorium des römischen Statthalters, Mk 15,16 u. a.). Sein grandiosestes Bauunternehmen aber war der Neubau des Tempels. Das hinderte ihn jedoch nicht, innerhalb wie außerhalb seines Reiches mehrere heidnische Tempel zu errichten oder zu verschönern (vor allem in Cäsarea und Samaria).

Daß Herodes im Jahr 4 vor Beginn unserer Zeitrechnung starb, ist unbestritten. Da Jesus unter seiner Regierung geboren wurde (Lk 1,5; Mt 2,1), muß seine Geburt in die letzten Jahre des Herodes datiert werden, vermutlich auf das Jahr 7 oder 8 vor Beginn unserer Zeitrechnung.

Herodes hatte in seinem letzten Testament das Reich unter drei seiner Söhne aufgeteilt: auf *Archelaos* und *Herodes Antipas* von seiner vierten und *Philippus* von seiner fünften Frau. Den größten Anteil, ganz Judäa (samt Idumäa) und Samaria, sollte Archelaos erhalten. Auf Herodes Antipas entfielen Galiläa und Peräa, auf Philippus die Gebiete im Nordosten

Abb. 12 *Das auf Herodes den Älteren zurückgehende, in seiner erhaltenen Gestalt wesentlich aus dem 2. Jh. n. Chr. stammende Theater von Cäsarea am Meer*

des Sees Gennesaret. Das Testament mußte aber, um rechtsgültig zu werden, vom Kaiser bestätigt werden. Alle drei Erben reisten also nach Rom, um beim Kaiser jedoch ihren Anspruch auf das ganze Reich des Herodes anzumelden. Gleichzeitig wurde auch eine Gesandtschaft der jüdischen Aristokratie vorstellig mit der Bitte, frei von den Herodianern unter direkter römischer Herrschaft leben zu dürfen. Doch verfocht der Kanzler des verstorbenen Herodes dessen Sache so geschickt, daß Augustus das Testament bestätigte.

Abb. 13 *Palästina zur Zeit Jesu*

Von bloß zehnjähriger Dauer war die Herrschaft des *Archelaos* (4 v. Chr. – 6 n. Chr.), dem vom Kaiser der Titel Ethnarch zugesprochen worden war. Wegen seiner Grausamkeit (vgl. auch Mt 2,22) wiederholt beim Kaiser verklagt, wurde er im Jahre 6 n. Chr. nach Rom zitiert, abgesetzt und nach Vienna in Gallien verbannt. Seine Gebiete wurden nun in direkte römische Verwaltung genommen und unter dem Namen *Judäa* einem *Prokurator* unterstellt, der seine Residenz in Cäsarea am Meer nahm. Der bekannteste Prokurator ist *Pontius Pilatus* (26–36), der über Jesus das Todesurteil sprach.

Bis zu seinem Tod konnte sich *Philippus* (mit dem Titel Tetrarch) halten. Er war ein gerechter Fürst und ahmte seinen Vater Herodes I. lediglich in seiner prachtliebenden Bautätigkeit nach. Das Fischerdorf Betsaida beim Einfluß des Jordans in den See Gennesaret verwandelte er in eine glänzende Residenz, die er zu Ehren Julias, der Tochter des Augustus, Julias nannte. Die alte Kultstätte Paneas bei den Jordanquellen baute er zur Stadt Cäsarea Philippi aus (Mk 8,27 par.). Beim Tod des Philippus wurde sein Gebiet für kurze Zeit zur römischen Provinz Syrien geschlagen. Beim Regierungsantritt des Kaisers Caligula (37 n. Chr.) wurde sie dann dem vom Kaiser begünstigten Enkel Herodes' I., *Agrippa I.*, als Königreich zugesprochen.

Hingegen erfuhr *Herodes Antipas* (4 v. Chr. – 39 n. Chr.), der Landesherr Galiläas während des öffentlichen Wirkens Jesu, das gleiche Schicksal wie Archelaos. Er war eine richtige Herodesnatur: prachtliebend, ehrgeizig, skrupellos (vgl. auch Mk 6,14–29 par.; Lk 13,31–33; 23,6–12). Als Residenz baute er sich eine neue Stadt in der Nähe der Thermalquellen am Westufer des Sees Gennesaret, die er zu Ehren des Kaisers Tiberius Tiberias nannte. Es sollte ihm jedoch zum Verhängnis werden, daß er sich auf Drängen seiner Frau Herodias beim Kaiser um den Königstitel bewarb, der Agrippa zugestanden worden war. Er wurde von Caligula seiner Tetrarchie für verlustig erklärt und nach Lyon in Gallien verbannt. Sein Herrschaftsgebiet wurde, zusätzlich zur Philippustetrarchie, Agrippa zugesprochen (40 n. Chr.).

Im Jahr 44 erreichte Agrippa sogar, daß ihm Kaiser Claudius auch die römische Prokuratur Judäa übertrug, so daß er das ganze Reich seines Großvaters Herodes I. in der Hand hatte. Er erweiterte das Stadtgebiet Jerusalems im Norden durch den Bau einer neuen Mauer, den er aber auf Verlangen des Kaisers einstellen mußte. Seine Politik bestand in einer strengen Observanz des jüdischen Gesetzes, weshalb er sich bei den Pharisäern großer Beliebtheit erfreute. Diese Popularität wußte er durch Verfolgung der jungen Christengemeinde zu steigern (Apg 12,1–19). Doch schon 44 n. Chr. starb er in Cäsarea eines plötzlichen Todes, angeblich an Wurmfraß (Apg 12,21–23).

Damit kam Palästina ein zweites Mal, und zwar nun in seiner Ganzheit, unter die Verwaltung eines römischen Prokurators. Die Institution überdauerte den Fall Jerusalems im Jahr 70 n. Chr. Dieser war das Ergebnis eines jüdischen Aufstandes, der durch wachsende Brutalität der römischen Prokuratoren provoziert worden war und im Jahr 66 ausbrach. Die römischen Streitkräfte wurden von Vespasian angeführt; als dieser im Jahr 69 Kaiser wurde, trat sein Sohn Titus an seine Stelle. Am 10. August 70 wurde Jerusalem gestürmt und der Tempel verbrannt.

Mit der Katastrophe des Jahres 70 verlor das Judentum seine geschichtliche und geographische, seine geistige und kultische Mitte. Vom Tempel blieben – bis heute – nur die Grundmauern des Tempelplatzes stehen (s. Abb. 18, S. 153) – ein Symbol der Hoffnung.

X.

PALÄSTINA IN NACHBIBLISCHER ZEIT

Wer heute das Land der Bibel durchstreift, begegnet hier einem römischen Theater, dort einem byzantinischen Mosaik und den Ruinen einer byzantinischen Kirche, aber auch arabischen Moscheen, profanen und religiösen Bauten der Kreuzfahrer, türkischen Mauern und Wasserleitungen, britischen Polizeiposten und Straßen, lauter Zeugen der wechselvollen Geschichte Palästinas in nachbiblischer Zeit. Diese kann hier nur in einer knappen Übersicht dargeboten werden.

1. Palästina als römische Provinz (bis 330)

Nach dem mißlungenen Aufstand von 66–70 machten die Juden in den Jahren 132–135 einen neuen Versuch, das römische Joch abzuschütteln. Unter Führung des sich als Messias ausgebenden *Simon bar Kochba* («Sohn des Sterns»; sein wirklicher Name war Simon bar Kosba) führten sie einen erbitterten Kampf gegen die Römer, an dem sich freilich die Christen des Landes nicht beteiligten. Nach Niederwerfung der Revolte verwandelte Kaiser (Aelius) Hadrian (117–138) Jerusalem in eine römisch-heidnische Stadt, der er nach seinem Familiennamen und der höchsten römischen Gottheit, Jupiter Capitolinus, den Namen *Aelia Capitolina* gab. Den Juden wurde das Betreten der Stadt unter Todesstrafe verboten, was zur Folge hatte, daß Galiläa und hier vor allem Tiberias zum Zentrum des jüdischen Religions- und Geisteslebens wurde. Deshalb entstanden fortan in Galiläa die schönsten Synagogen (vgl. Abb. 14, S. 115). Die Hauptstadt der Provinz, jetzt Syria Palaestina genannt (s. o. S. 14), blieb jedoch Cäsarea.

2. Das christliche Palästina in byzantinischer Zeit (330–638)

Schon im 3. Jh. setzte der Zerfall des römischen Reiches ein. Zwar vereinigte Kaiser *Konstantin* nochmals das ganze Reich in seiner Hand. Er verlegte 330 seine Residenz in das alte Byzanz, das er zur Reichshauptstadt Konstantinopel ausbaute, und eröffnete damit die *byzantinische Zeit*. Konstantin förderte zielbewußt die christliche Kirche. Davon profitierte auch Palästina, das nun seine eigentlich christliche Zeit er-

Abb. 14 *Nach Süden (Jerusalem) gerichtete Fassade der Synagoge von Bar'am (Obergaliläa), 3. Jh. n. Chr., Breite 15 m. Über dem Haupttor ein halbrundes, über den beiden Seitentoren je ein rechteckiges Fenster. Von der ca. 5 m tiefen Vorhalle ist eine Seitensäule sichtbar.*

lebte. Allenthalben blühte christliches Leben und christliche Baukunst auf. Die drei prächtigen Kirchen über dem Heiligen Grab, auf dem Ölberg und in Betlehem gehen auf Konstantin selber zurück, und Helena, die Mutter Konstantins, erschien 326 persönlich in Jerusalem. Ganz Palästina wurde mit über tausend Heiligtümern übersät, um die sich die christlichen

Siedlungen scharten. Jerusalem allein zählte 375 Kirchen und Klöster, und im 5. Jh. wird der Bischof von Jerusalem zum Patriarchen aufsteigen und neben den Bischöfen von Rom, Alexandrien, Antiochien und Konstantinopel eine erste Rolle spielen. Das Mönchtum nahm einen mächtigen Aufschwung. In Betlehem leitet Hieronymus (gest. 420) ein Männer- und drei Frauenklöster und übersetzt das Neue und das Alte Testament aus dem Griechischen und Hebräischen (Vulgata). Freilich setzen im 5. Jh. auch schon die Glaubensspaltungen ein, die das Bild des christlichen Palästina bis heute verdüstern. Der schwerste Schlag aber war im Jahr 614 der Einfall der Perser unter Chosrau (Chosroes) II., die mehr als 300 Kirchen, Klöster und Hospize in Schutt und Asche legten. Während die Juden mit den Eroberern gemeinsame Sache machten, starben allein in Jerusalem mindestens 30000 bis 40000 Christen.

3. Das islamische Palästina (638–1099)

Die der Christenheit geschlagenen Wunden waren kaum notdürftig vernarbt, als zwei Jahrzehnte später, 638, die islamischen Araber die Herren des Landes wurden. Der Eroberer Jerusalems, Kalif *Omar*, verrichtete auf dem Tempelplatz in Richtung Mekka das Gebet und erbaute am Südende des Platzes eine Moschee, die Vorläuferin der el-Aksa-Moschee. Indes blieben die einheimischen Christen unbehelligt. In einem Kapitulationsvertrag mit Sophronius, dem Bischof von Jerusalem, hatte Omar ihnen den Schutz ihres Lebens, ihrer Güter und Kirchen garantiert, und die heiligen Stätten blieben weiterhin das Ziel frommer Pilger aus Europa. Die Karolinger knüpften sogar mit den abbasidischen Kalifen, die sich Baghdad als Residenz schufen, freundschaftliche Beziehungen an. Eine Gesandtschaft Karls des Großen erhielt vom Kalifen Harun ar-Raschid die Schlüssel zur Grabeskirche, wodurch die heiligen Stätten unter abendländisch-lateinische Jurisdiktion kamen. Das änderte freilich nichts daran, daß Jerusalem die heilige Stadt des Islam blieb, was sich schon in dem arabischen Namen *el-Kuds* («die Heilige») ausdrückt. Der Kalif Abd el-Malik erbaute 691 die Omarmoschee, eine der prächtigsten Moscheen der islamischen Welt, auch Felsendom genannt, weil sie den heiligen Felsen in sich schließt, auf dem sehr wahrscheinlich der Brandopferaltar des israelitisch-jüdischen Tempels stand, auf dem aber nach islamischem Glauben schon Abraham das Opfer seines Sohnes Isaak darbrachte. So wurde Jerusalem nach Mekka und Medina zum bedeutendsten Wallfahrtsort der muslimischen Welt.

Nach der Auflösung der *Abbasiden* wurde Palästina in den Strudel politischer Wirren hineingezogen. Es wurde von Ägypten abhängig, wo 868 die türkischen *Tuluniden*, 969 die arabischen *Fatimiden* an die Herrschaft kamen. Unter diesen verschlechterte sich das bisher leidliche Verhältnis zwischen Muslimen und Christen. Zu einem schlimmen Ausbruch des Fanatismus kam es 965. Die Muslime, mit denen sich die Juden verbanden, steckten die Tore der Grabeskirche in Brand, so daß deren Kuppel einstürzte, drangen in die Kirche ein und plünderten sie radikal, worauf sie auch die Zionskirche verheerten. Der Patriarch wurde getötet und sein Leichnam verbrannt. Die zerstörten Kirchen wurden zwar unter den folgenden Patriarchen restauriert. Aber kaum war dies geschehen, kam es 1009 zum schmerzlichsten Schlag, als der dritte Fatimiden-Kalif, der fanatische *al-Hakim*, die Grabeskirche niederreißen und den Felsen mit dem traditionellen Grab Jesu mit Pickeln zerhacken ließ. Restauriert wurde in der Folge nur noch die Rotunde, nicht mehr die Basilika. 1070 fielen die türkischen Seldschuken in Palästina ein und eröffneten eine Schreckensherrschaft, die freilich nur von kurzer Dauer war. Denn 1099 ziehen die Kreuzfahrer siegreich in die heilige Stadt ein und begründen das christliche «Königreich Jerusalem».

4. Die Zeit der Kreuzfahrer (1099–1291)

Mit den Kreuzfahrern kam Palästina ein zweites, aber auch letztes Mal unter christliche Herrschaft. Während des nur 88-jährigen Bestehens des Königreichs Jerusalem bauten diese eine erstaunliche Zahl von Kirchen, Klöstern und Hospizen, deren Spuren noch heute allenthalben sichtbar sind. Freilich hatte die Herrlichkeit keinen Bestand. Die Schwierigkeiten kamen von verschiedenen Seiten. Der Haß der einheimischen schismatischen Christen gegen die römische Kirche, von der sie sich schon im 5. Jh. getrennt hatten, die sittliche Verwahrlosung zahlreicher Fürsten, Barone, Ritter und Prälaten, die verheerenden, durch das orientalische Klima bedingten Krankheiten: Malaria, Cholera, Pest, vor allem aber die unaufhörlichen Angriffe der Araber führten den Ruin des Kreuzfahrerreiches herbei. 1187 liefert *Saladin,* der um 1170 in Ägypten an die Macht gekommen ist und die Dynastie der Fatimiden durch die der *Aijubiden* abgelöst hat, den Kreuzfahrern bei Qarn Hattin über dem See Gennesaret eine vernichtende Schlacht und erobert in der Folge Jerusalem, was das Ende des Königreichs Jerusalem bedeutet. 1291 verlieren die Kreuzfahrer ihr letztes, durch Bürgerkriege und Fehden unter den Ritterorden längst geschwächtes Bollwerk Akko an die *Mamluken,* die inzwischen in Ägypten die Herrschaft an sich gerissen haben. Die christliche Bevölkerung, die schon immer eine Minderheit gewesen war, schmolz noch mehr zusammen. Unter schweren Opfern an Gut und Blut hüteten die Franziskaner die wenigen heiligen Stätten, die den Christen verblieben waren. Das von den Kreuzfahrern errichtete lateinische Patriarchat wurde 1291 aufgehoben, und die schismatischen Griechen traten wieder in ihre alten Rechte ein. Immerhin erkaufte Robert von Anjou als König von Neapel (1309–1343) für die Lateiner den Mitbesitz der Grabeskirche und des Abendmahlssaals, die Kirche selbst aber blieb im Besitz der Griechen.

5. Palästina unter den Mamluken (1291–1517)

Die Mamluken waren ehemalige, von den Aijubiden in Dienst genommene türkische Sklaven, die von ca. 1250 an aber selbst zur Herrschaft kamen. Ihr bedeutendster Heerführer war Baibars, der den Kreuzfahrern schon vor dem Fall Akkos u. a. die Städte Cäsarea, Safed, Jaffa und die als uneinnehmbar geltende Festung Crac des Chevaliers entriß. Die Geschichte der Mamluken ist voll von Blutbädern und Greueln, wenn auch bei glänzender Hofhaltung prächtige Bauten erstanden. Für Palästina war die Mamlukenherrschaft eine Zeit der Ausbeutung und Verarmung.

6. Palästina unter den Türken (1517–1918)

1517 eroberten die Türken das Heilige Land. Unter Sultan Suleiman II. (1520–1566) wird die Mauer gebaut, die bis heute die Altstadt Jerusalems umgibt. Eine religiöse und kulturelle Besserung für die Christen war von türkischer Seite nicht zu erwarten. Aber es kam den christlichen Interessen entgegen, daß die schwierige Stellung der Franziskaner durch die Gesandten des französischen Königs bei der Hohen Pforte gestützt wurde. Demnach wurde der König von Frankreich als der besondere Beschützer der heiligen Stätten betrachtet, womit Frankreich dem geistigen und politischen Einfluß, den es bis in die neueste Zeit im Vorderen Orient besaß, den Weg bereitete. Das ehrwürdigste christliche Heiligtum freilich, die Grabeskirche, war weiterhin widrigen Geschicken ausgesetzt. 1808 wurde sie durch eine Feuersbrunst zerstört. 1847 wurde das lateinische Patriarchat erneuert, wodurch sich der Einfluß Roms in Palästina merklich verstärkte. Der Erste Weltkrieg setzte der Türkenherrschaft ein Ende. Auf der Konferenz von San Remo wurde Palästina England als Mandatgebiet zugesprochen, mit der Auflage, die *Balfour-Erklärung* in die Tat umzusetzen. In dieser hatte die britische Regierung 1917 den Juden ihren Beistand bei der Errichtung einer National-Heimstätte (National Home) in Palästina zugesichert, unter Wahrung der bürgerlichen und religiösen Rechte der nichtjüdischen Gemeinschaften des Landes.

7. Das britische Mandat (1920–1948)

Der erste britische Hochkommissar in Jerusalem, Sir Herbert Samuel, war Jude und erklärte Hebräisch neben Arabisch und Englisch zur dritten Landessprache. Die britische Verwaltung verbesserte vor allem den Gesundheitsdienst, das Schulwesen und den Straßenbau. Sie förderte auch die jüdische Einwanderung, die freilich bis 1933 relativ bescheiden blieb (durchschnittlich rund 10000 jährlich). Wegen des gleichzeitigen Rückgangs der Kindersterblichkeit war das prozentuale Verhältnis von Arabern und Juden 1933 noch immer das gleiche wie 1920 (89 zu 11). Von da an stieg jedoch die jüdische Einwanderung rapid, was 1936–1939 zu Unruhen seitens der arabischen Bevölkerung führte. Kurz vor Ausbruch des Zweiten Weltkrieges 1939 limitierte die britische Mandatsregierung die jüdische Einwanderung auf 15000 pro Jahr. Nach dem Krieg forderten die Juden unter Berufung auf die Balfour-Erklärung, daß den 1¼ bis 1½ Millionen Juden, die in Europa überlebt hatten, die Tore Palästinas geöffnet würden. Der britische Widerstand wurde von jüdischer Seite als Verrat an der Balfour-Erklärung interpretiert und demzufolge den Briten der Anspruch auf das Mandat abgesprochen. Unter Einsatz von Terror versuchten die Juden, die Engländer mürbe zu machen und sie zum Abzug zu zwingen. Die inzwischen gegründete UNO beschloß am 29. November 1947 die Teilung des Landes in einen jüdischen und einen arabischen Staat und ein von der UNO verwaltetes Jerusalem. Mit der Ablehnung des Beschlusses durch die Liga der arabischen Staaten brach *de facto* schon der jüdisch-arabische

Krieg aus. Offiziell begann er mit der Ausrufung des Staates Israel am 14. Mai und der Aufgabe des Mandats durch die Engländer am 15. Mai 1948.

8. Palästina als Staat Israel und Teil des Königreiches Jordanien (1948–1967)

Der jüdisch-arabische Krieg, an dem sich irakische, syrische, transjordanische und ägyptische Kontingente beteiligten, wurde zwischen Mai und Oktober 1948 in drei Phasen geführt. Die erste verlief vorteilhaft für die Araber, die zweite und dritte für die Juden. Die Ende-Feuer-Linie wurde (mit Korrekturen) zur *de facto*-Staatsgrenze. Den Arabern verblieben, grob gesprochen, Samaria, das östliche Judäa und Ost-Jerusalem. Auf den Staat Israel entfielen Galiläa, die ganze Meeresküste, West-Judäa und West-Jerusalem sowie der Negev, somit auch mehrheitlich von Arabern bewohnte Gebiete und Städte. Im Widerspruch zu einem Beschluß der arabischen Liga schlug König Abdullah von Transjordanien die den Arabern verbliebenen Teile Palästinas zu seinem Königreich, das er in Jordanien umbenannte.

9. Palästina / Israel von 1967 bis zur Gegenwart

Die politische Geschichte Palästinas / Israels von 1967 bis zur Gegenwart wird vor allem durch zwei Kriege bestimmt: den «Sechstagekrieg» (5. bis 10. Juni 1967), ausgelöst durch den vom UNO-Generalsekretär U Thant angeordneten Abzug der UNO-Truppen von der Sinaihalbinsel und der gleichzeitigen Bildung eines zwischen Ägypten, Syrien, Jordanien und dem Irak geschlossenen, offensichtlich gegen Israel gerichteten Militärbündnisses. In gezielten Schlägen zerstörte Israel die Luftwaffen Syriens, Jordaniens, Ägyptens und des Irak. Nach sechs Tagen waren die gesamte

Sinaihalbinsel, der von Ägypten beanspruchte Gaza-Streifen, die bis dahin Jordanien gehörenden Gebiete des Westjordanlandes und die Nordisrael und den See Gennesaret dominierenden syrischen Golanhöhen in der Hand Israels. Die Eroberung der arabischen Altstadt Jerusalems (1980 von Israel offiziell annektiert) sicherte den Juden den freien Zugang zur Klagemauer.

Eine neue Situation schuf der von arabischer Seite am Großen Versöhnungstag, dem 6. Oktober 1973, eröffnete «Jom Kippur-Krieg», in dem unter anderem Syrien den Berg Hermon zurückeroberte, während Israel die Golanhöhen behielt. Unter amerikanischer Vermittlung wurden 1978 in Camp David zwei Rahmenabkommen geschlossen, die (bis April 1982) den Rückzug Israels aus dem Sinai zur Folge hatten. Im Gegenzug faßten die Israelier im Libanon militärisch Fuß. Nach anfänglichem Vorstoß bis Beirut – ein grausamer Krieg, dessen Befürwortung und Ablehnung ganz Israel spaltete – beschränkten sie sich vom 5. Juni 1985 an auf die Schaffung einer Sicherheitszone in dem an Nordisrael angrenzenden Süden Libanons (im Mai 2000 aufgegeben). Nach dem Abkommen von Oslo (September 1993) kam es schließlich seit 1994 (freilich mit mancherlei Verzögerungen) zur Schaffung palästinischer Autonomiegebiete, die ihre Zentren in Gaza und Jericho haben.

Insgesamt war die Besetzung des ganzen Westjordanlandes durch Israel für die arabische Bevölkerung eine Leidenszeit, gekennzeichnet durch eine Politik der vollendeten Tatsachen, willkürliche Inhaftierung von Tausenden von Palästinensern, Folterung von Gefangenen und Anwendung der Folter zur Erpressung von Geständnissen (vom obersten Gerichtshof Israels im November 1996 rechtlich erlaubt), Erschießungen aus nichtigem Grund, Bezeichnung arabischer Arbeiter in Israel als «Fremdarbeiter» (*obed sar*), Enteignung arabischen Landes (auch in Ostjerusalem, vom israelischen Kabinett am 14.6.1995 ausdrücklich gebilligt) und Zerstörung ganzer arabischer Dörfer zur Errichtung jüdischer Siedlungen, Kollektivstrafen und Sippenhaft, «Erleichterung» der Auswanderung von Arabern aus Israel, jahrelanger Schließung arabischer Schulen und Universitäten, Entzug der Lehrerlaubnis für unbequeme arabische Professoren, Blockierung gegen Israel gerichteter Entschließungen der UNO durch die einseitig israelfreundlichen Vereinigten Staaten.

Seit 1988 griffen Palästinenser für mehrere Jahre zum Mittel der *Intifada* (buchstäblich «Abschüttelung» – des israelischen Joches –), einem systematischen aktiven und passiven Widerstand gegen die Menschenrechtsverletzungen der israelischen Besatzungsbehörden und ihres Militärs. Das Abkommen von Oslo (September 1993, s.o.) brachte auch das Ende der Intifada.

Sepphoris, hebr. Zippori, ca. 5 km nw. von Nazaret, seit der Mitte des 1. Jh. v. Chr. bis zur Gründung von Tiberias um 20 n. Chr. Hauptort des Distrikts Galiläa. So bezahlten die Eltern Jesu und er selbst in Sepphoris ihre Steuern. Im 2. Jh. erhielt Sepphoris den Namen Diocaesarea (Stadt des Zeus und des Kaisers), war vorübergehend Sitz des jüdischen Hohen Rates, mit starker jüdischer Bevölkerung (angeblich 18 Synagogen). Seit 1930 mehrere amerikanische und israelische Ausgrabungen mit prächtigen Ergebnissen: Kolonnadenstraße (oben), röm. Theater, Mosaikfußböden, Wasserversorgung (zwei Aquädukte), Kreuzfahrerfestung.

DRITTER TEIL

BIBLISCHE ARCHÄOLOGIE

I.

WAS IST ARCHÄOLOGIE?

Das Bild, das auf den vorangehenden Seiten von der Geschichte Israels entworfen wurde, stützt sich nicht nur auf die Berichte der Bibel; vielmehr haben die Ergebnisse der Archäologie daran einen entscheidenden Anteil. Bibelwissenschaft ist heute ohne Archäologie nicht mehr denkbar. In den bibelwissenschaftlichen Bibliotheken und Zeitschriften nehmen die Berichte über Ausgrabungen in Palästina und seinen Nachbarländern einen breiten Raum ein. Archäologie ist ein eigenes Fach innerhalb eines bibelwissenschaftlichen Studienganges. An den Hochschulen des deutschen Sprachraums gibt es zur Zeit in Tübingen (Ev.-Theol. Fakultät) einen eigenen Lehrstuhl für biblische Archäologie, entsprechende Forschungseinrichtungen in Kiel, Hamburg, Göttingen, Mainz und Freiburg/Schweiz. Mehr und mehr greift die Faszination der Archäologie über die engeren Fachkreise hinaus auf die breitere Öffentlichkeit über, wenn auch die Bücher, die sie popularisieren, oft ein sehr verzerrtes Bild von ihr darbieten. Das Land, in dem geradezu das ganze Volk von der frühesten Schuljugend an sich für die archäologische Arbeit interessiert und sie mitverfolgt, ist das Land der Bibel selbst: das moderne Israel. Die Archäologie hat aber nicht nur das Interesse an der Bibel gefördert, sondern auch das Vertrauen in sie.

Was ist Archäologie? Das griechische Wort setzt sich zusammen aus *archaios* «alt» und *logos* «Lehre». Archäologie ist also die Lehre von den alten Dingen, Altertumskunde. Indes hat sich der Inhalt des Begriffs im Laufe der Zeit immer mehr verengt. Ursprünglich entsprach er unserem heutigen Begriff «Geschichte». So nennt der jüdische Geschichtsschreiber Josephus Flavius (1. Jh. n. Chr.) seine Geschichte des israelitisch-jüdischen Volkes von der Erschaffung der Welt bis zum Ausbruch des jüdischen Krieges *archaiologia judaike,* «jüdische Archäologie» oder «Altertumskunde». Diesen Sinn behielt die Archäologie oder Altertumskunde bis zum Beginn des 19. Jh. Dann aber wurde der Ausdruck eingeschränkt auf die materielle Kultur eines Volkes. Am Ende des 19. und zu Beginn des 20. Jh. versteht man unter der Archäologie Israels seine Institutionen und Lebensformen (Wohnung, Kleidung, Nahrung, Maße und Gewichte, Handel und Verkehr, Rechts- und Kriegswesen, Heiligtümer, Opfer und Feste).[37]

Heute aber hat das Wort Archäologie einen noch spezielleren Sinn. Man versteht darunter die Wissenschaft von der Vergangenheit, insofern deren Erkenntnisse aus den materiellen Resten gewonnen werden, die meist in der Erde verborgen sind und durch Ausgrabungen zutage gefördert werden. Weil der Begriff der Ausgrabung so eng mit dem Begriff Archäologie verbunden ist, versteht man unter Archäologie vielfach die Wissenschaft von der Ausgrabung alter Stätten und deren Ergebnissen. Jedoch gehört zur Archäologie auch die sogenannte Oberflächenforschung, bei der aufgrund der auf der Erdoberfläche herumliegenden Relikte, besonders Keramikscherben, eine erste Vorstellung von einer verlassenen Stätte gewonnen wird. In der Regel geht eine solche Oberflächenforschung einer Ausgrabung voraus. Sie kann aber eine Ausgrabung auch bis zu einem gewissen Grad ersetzen, wo diese aus technischen oder finanziellen Gründen nicht möglich ist. Schließlich gehört in den Bereich der Archäologie auch die Bestandsaufnahme der über der Erde ganz oder teilweise erhaltenen Monumente, etwa eines griechisch-römischen Tempels oder Theaters.

Der Begriff «Biblische Archäologie» ist heute umstritten. Man versteht darunter zwar Archäologie im Land (den Ländern) der Bibel, die zur Erhellung der Bibel Enormes beigetragen hat. Diese Forschungsarbeit sprengt jedoch bei weitem den zeitlichen Rahmen der Bibel. Sie setzt ein mit der ersten Besiedlung des Landes und vor allem mit dem Beginn des Acker- und Städtebaus um 8000 v. Chr., bezieht aber auch die nachbiblischen Perioden (römische, byzantinische, arabische, Kreuzfahrer- und türkische Zeit) in ihre Tätigkeit ein. Richtig verstanden ist indes die Bezeichnung «Biblische Archäologie» weiterhin sinnvoll, und so betitelt noch neuestens einer der führenden Fachleute, Volkmar Fritz, sein Handbuch als «Einführung in die biblische Archäologie» (1985).

Die Archäologie umschließt also ein weites Feld. Alle Überbleibsel, die von der Tätigkeit vergangener Geschlechter herrühren, fallen in ihren Bereich: eine primitive Zeichnung an der Wand einer prähistorischen Höhle, ein Werkzeug aus gehauenem Stein, ein paar Keramikscherben, die Fundamente eines Gebäudes, das Bruchstück einer Skulptur, eine Geldmünze, ein Siegel; schließlich natürlich Aufzeichnungen, in welcher Schrift, welcher Sprache und auf welchem Material auch immer: auf Stein, Ton, Metall, Leder oder Papyrus. Schriftliche Aufzeichnungen fordern sofort eine andere Wissenschaft: die Philologie. Denn die Texte müssen entziffert werden, und das ist oft sehr beschwerlich und gelingt manchmal erst nach Jahrzehnten entsagungsvoller Vorarbeiten. Champollion wurde beinahe wahnsinnig, als er 1822 den Schlüssel zur Entzifferung der ägyptischen Hieroglyphen gefunden hatte. Bis 1952 trotzten die in der sogenannten Linear B-Schrift auf Kreta und dem griechischen Festland gefundenen rund 4000 Inschriften beharrlich allen mühsamen Entzifferungsversuchen, bis sich ihre Sprache als frühgriechisch erwies. Die Zeit, aus der sie stammen (ca. 1450–1200 v. Chr.), ist für die biblische Geschichte sehr wichtig. Es ist die Amarnazeit, die Zeit des Aufenthaltes Israels in Ägypten und des Exodus.

Der Archäologe will also nicht nur möglichst viele Dinge zutage fördern, er will sie auch verstehen und interpretieren, um so ein Bild von der Vergangenheit zu gewinnen. Er muß nicht nur in der Technik des Ausgrabens bewandert sein, sondern ebenso in der Geschichte des Alten Orients, in den Sprachen und Schriften der damaligen Völker, ja sogar in der Völkerkunde und Prähistorie. Wenn er dann zusätzlich die Beziehungen zwischen Archäologie und Bibel herstellen, wenn er *biblische* Archäologie betreiben will, muß er auch noch ein gründlicher Kenner der biblischen Sprachen und der Bibel selbst sein. Er muß also schließlich auch Theologe sein.

Vernachlässigt er eine dieser Wissenschaften, so versteigt er sich leicht zu den bedauerlichsten Fehlschlüssen. So war die Ausgrabung der südmesopotamischen Stadt Ur (1922–1934), in der nach biblischer Überlieferung die Familie Abrahams beheimatet war (Gen 11,28), sicher eine sehr verdienstvolle Tat, und niemand hat je an der archäologischen Tüchtigkeit des Ausgräbers, des britischen Archäologen C. L. Woolley, gezweifelt. Es war jedoch verfehlt, in den Spuren einer Überschwemmung, die Woolley ins 4. Jt. v. Chr. datierte, das greifbare Zeugnis der Flut sehen zu wollen, von der im Alten Testament (Gen 6–8) die Rede ist.[38] Eine unbeschwerte Journalistik brauchte nur noch einen Schritt weiter zu gehen, um in den Beobachtungen Woolleys den «eindeutigen Beweis für die Sintflut» in der Hand zu haben.[39]

Der gute Archäologe ist immer sehr zurückhaltend und umsichtig. Trotzdem kann er nicht verhindern, daß Tageszeitungen und Illustrierte seine vorsichtig formulierten, oft nur als möglich bezeichneten Ergebnisse sensationell aufbauschen, oder daß Bücher, die in Massenauflagen auf den Markt geworfen werden, die Archäologie zum Nachweis benützen, daß die Bibel recht habe.

II.

HUNDERT JAHRE AUSGRABUNG IN PALÄSTINA

Die biblische Archäologie ist eine verhältnismäßig junge Wissenschaft. Ihre Anfänge liegen etwa in der Mitte des 19. Jh. Zwar haben schon früher fromme und gelehrte Leute den biblischen Altertümern Palästinas ihre Aufmerksamkeit geschenkt. Den Anfang machte keine Geringere als Helena, die Mutter des Kaisers Konstantin, die im Jahr 324 als eine der ersten Frauen in das Heilige Land wallfahrte. Die Legende hat aus ihr sogar die erste Archäologin gemacht, soll sie doch in Jerusalem nach dem Kreuz Jesu gegraben und es auch gefunden haben.[40] Durch all die folgenden Jahrhunderte hindurch gab es immer Pilger und Wißbegierige, die auf biblischen Pfaden Palästina und andere Länder des Vorderen Orients durchwanderten und vielfach auch ihre Erlebnisse und Beobachtungen schriftlich niederlegten. Aber von Archäologie kann deshalb noch nicht gesprochen werden.

1. Die Pioniere

Die Archäologie des biblischen Orients begann in *Ägypten*. Als Napoleon 1798 zur Eroberung Ägyptens auszog, nahm er einen Stab von Gelehrten mit, die die Antiquitäten des Landes erforschen und darüber Bericht erstatten sollten. Sie machten dieser Berufung Ehre; nachdem die Niederlage Napoleons 1801 ihrer Tätigkeit ein Ende gesetzt hatte, legten sie 1809–1822 deren Ergebnisse der Welt in dem prachtvollen 20bändigen Werk «Description de l'Égypte» vor. In *Mesopotamien* wurden die ersten offiziellen Grabungen von der französischen Regierung ab 1842 durch ihren Vizekonsul in Mosul, P. E. Botta, unternommen. Nach und nach griff die Archäologie auch auf die übrigen Länder des biblischen Orients über. Die wissenschaftliche Erforschung *Palästinas* beginnt mit dem Amerikaner Edward *Robinson*, der mit Recht als der Vater der palästinischen Altertumskunde gilt.[41] Robinson war als Sohn eines puritanischen Predigers am 10. April 1794 in Connecticut geboren worden, verdankte jedoch seine Ausbildung deutschen Gelehrten, und seine Frau war die Tochter eines Professors in Halle.

Robinson war wissenschaftlich auf sein Unternehmen ausgezeichnet vorbereitet; er hatte sich gründlich mit der griechischen und hebräischen Sprache sowie mit der neutestamentlichen Schrifterklärung vertraut gemacht. Als ihm 1837 eine Professur für Heilige Schrift am Union Theological Seminary in New York angeboten wurde, knüpfte er seine Zustimmung an die Bedingung, daß ihm ermöglicht werde, vorher eine Studienreise ins Heilige Land zu machen. Diese dauerte vom 12. April bis 27. Juni 1838. Als Begleiter gewann er den erfahrenen und des Arabischen mächtigen amerikanischen Missionar in Beirut, Eli Smith. Im Jahr 1852 kehrte er nochmals für vier Monate zurück, so daß sein Aufenthalt im Heiligen Land insgesamt nicht mehr als sieben Monate betrug. Aber Robinson hat mit der Zeit gewuchert. In seinem bereits nach seiner ersten Reise in Berlin niedergeschriebenen dreibändigen Werk «Biblical Researches in Palestine, Mount Sinai and Arabia Petraea» (Boston 1841) hat er eine erstaunliche Fülle von topographischem Material zusammengetragen.

Robinsons vordringliches Interesse galt der Identifizierung der biblischen Stätten. Während heute weitgehende Klarheit darüber besteht, welcher biblische Ort an einer bestimmten Ruinenstätte lag, war dies zur Zeit Robinsons alles andere als selbstverständlich. Sein Hauptverdienst besteht also darin, eine ganze Anzahl biblischer Ortschaften sicher identifiziert zu haben. Im Gegensatz zu den allzu häufig legendären und willkürlichen mönchisch-kirchlichen Pilgertraditionen plädierte Robinson für die sorgfältige Beachtung der oft erstaunlich zuverlässigen Bewahrung biblischer Ortsnamen in der arabischen Volksüberlieferung. Seine «Biblical Researches» weisen das erste brauchbare Verzeichnis arabischer Ortsnamen in arabischer und lateinischer Schrift auf. Allerdings hat Robinson bei seinen Lokalisierungen da und dort auch danebengegriffen. So sah er die Ruinen von Kafarnaum für die Stätte von Betsaida an, und den biblischen Zion suchte er in der westlichen Oberstadt von Jerusalem.

Zugleich artet Robinsons berechtigte Vorsicht gegenüber den Pilgertraditionen in eine überbordende Skepsis und konfessionelle Voreingenommenheit aus. Im traditionellen Abendmahlssaal sieht er zugleich eine islamische Gebetsnische und einen Altar, auf dem gelegentlich eine Messe gefeiert wird, und er bemerkt dazu: «the two superstitions stand here side by side in a singular iuxtaposition» (I,357). Er rühmt sich, das Kloster der Franziskaner nie betreten und nie mit einem Mönch gesprochen zu haben (I,378). Am Karsamstag in Jerusalem angekommen, gerät er bei seinem ersten Besuch der Auferstehungskirche in den dortigen Ostergottesdienst hinein. Weil er ihn als Skandal empfindet, beschließt er, den Ort nie wieder zu besuchen (I,329–331). Trotzdem kann er mit Sicherheit bestreiten, daß die Kirche auf der Stätte von Golgota stehe (II,64–80).

Robinson nahm noch keine einzige Ausgrabung vor, sondern machte seine Beobachtungen an den an der Erdoberfläche sichtbaren Resten und zog daraus seine Schlüsse (s. o. S. 126). Dennoch reichten seine nächsten Nachfolger an Bedeutung nicht an ihn heran. Nicht der Franzose F. *de Saulcy*, der in den Jahren 1850/1 und 1863 an verschiedenen Orten Untersuchungen und Grabungen durchführte und in Jerusalem eine große Grabanlage freilegte, die er für die Gräber der Könige von Juda hielt und ungefähr ins Jahr 600 v. Chr. datierte.[42] In Wirklichkeit handelt es sich um das Familiengrab einer fürstlichen Familie aus der Mitte des 1. Jh. n. Chr. Saulcy täuschte sich also um nicht weniger als 650 Jahre – so unerfahren war die palästinische Archäologie damals noch.

Und nicht viel besser erging es Charles *Warren*, dem folgenden Archäologen Jerusalems. Im Jahr 1865 war in England eine Stiftung zur wissenschaftlichen Erforschung

Palästinas, der *Palestine Exploration Fund*, gegründet worden, der auch ab 1869 die erste biblisch-archäologische Zeitschrift, das Palestine Exploration Fund Quarterly Statement (seit 1937 Palestine Exploration Quarterly genannt), herausgab. Der junge Ordonnanzoffizier Charles Warren war der erste, der, von dieser Stiftung beauftragt und mit reichen Geldmitteln ausgestattet, nach Jerusalem geschickt wurde.

Doch auch er zeigte sich der Aufgabe nicht gewachsen. Das Mauerwerk des Tempelplatzes aus der Zeit des Herodes hielt er für salomonisch, datierte es also rund tausend Jahre zu früh;[43] hingegen schrieb er die Ruinen einer kleinen makkabäischen Festung in Gibea (2. Jh. v. Chr.) den Kreuzfahrern zu, datierte sie also mehr als tausend Jahre zu spät. Das ändert jedoch nichts an der Tatsache, daß der Palestine Exploration Fund für die Erforschung Palästinas sehr segensreich gewirkt hat. Auch die siebenbändige «Description géographique, historique et archéologique de la Palestine» des unermüdlichen französischen Forschers Victor *Guérin* (Paris 1868/80) brachte die palästinische Archäologie nicht spürbar vorwärts, wiewohl sie ein Meisterwerk der biblischen Landesbeschreibung ist und der scharfen Beobachtung des Verfassers kaum ein Stein entging.

Glücklicher als seine Vorgänger arbeitete der nächste Pionier, wieder ein Franzose, Charles *Clermont-Ganneau*, der im Dienste des französischen Konsulats in Jerusalem stand und nur im Nebenberuf Archäologe war. Ihm glückte 1869 der Erwerb des berühmten *Meschasteins* (Abb. 15, S. 133; TGI 21). Auf dieser in moabitischer Sprache beschrifteten Stele berichtet der König Mescha von Moab (ca. 840 v. Chr.), wie er nach dem Tode des Ahab das Joch Israels abschüttelte und die Gebiete nördlich des Arnon zurückgewann, die Moab unter Omri an Israel verloren hatte. Von dem Verlust dieser Gebiete unter Omri erwähnt die Bibel nichts, wohl aber von der Tributpflicht Moabs (2 Kön 3,4), von dem Abfall des Mescha nach dem Tode des Ahab (3,5) und von einem erfolglosen Versuch Israels, Moab wieder unter seine Botmäßigkeit

Abb. 15 *Nach Abklatsch (die dunklen Teile) ergänzte Inschrift-Stele des Moabiterkönigs Mescha, die 1868 in der Nähe von dībān (Transjordanien) gefunden wurde, Höhe 1,10 m (Louvre)*

zu bringen (3,6–27). Die Meschastele ist somit ein treffliches Beispiel dafür, wie die Archäologie die Berichte der Bibel zugleich bestätigt und ergänzt. 1871 entdeckte Clermont-Ganneau in der Mauer einer Schule unweit des Tempelplatzes eine griechisch beschriftete Tafel (heute in Istanbul), die aus dem herodianischen Tempel stammt und den Heiden unter Todesstrafe das Betreten der den Juden vorbehaltenen Höfe des Tempelareals verbot (TGI 55; vgl. Apg 21,28).

An wissenschaftlichen Gesellschaften wurden in dieser Zeit noch gegründet die *American Palestine Exploration Society* (1870) und der *Deutsche Palästina-Verein* (Deutscher Verein zur Erforschung Palästinas; 1877; Organ seit 1878: Zeitschrift des Deutschen Palästina-Vereins).

2. Von 1890 bis zum Ersten Weltkrieg

Mit dem Jahre 1890 beginnt die zweite Etappe in der Geschichte der palästinischen Archäologie. Sie wird eröffnet vom glänzenden englischen Gelehrten W. M. *Flinders Petrie.* Nachdem er schon zehn Jahre in Ägypten geforscht hatte, kam er, erst 37jährig, nach Palästina. Von 1926 an konzentrierte sich dann seine Arbeit ausschließlich auf dieses Land, wo er auch den Rest seines Lebens zubrachte. 1942 starb er als fast Neunzigjähriger in Jerusalem und wurde auf dem Britischen Friedhof in der Oberstadt, in der Nähe des «Abendmahlssaales», begraben.

Im Auftrag des Palestine Exploration Fund machte sich Flinders Petrie 1890 zum erstenmal an die systematische Ausgrabung eines Ruinenhügels. Es war der *tell el-chesi* in Südwestpalästina, 25 km östlich von Gaza. Die palästinische Archäologie verdankt Flinders Petrie drei Erkenntnisse, die für ihre weitere Entwicklung von entscheidender Bedeutung wurden:

1. Die charakteristischen ovalen Hügel, mit einem arabischen Wort *tell* (pl. *tulūl*) genannt, sind künstliche Schutthügel,

in denen sich die meist mehrtausendjährige Geschichte einer Siedlung in übereinanderliegenden horizontalen Schichten niedergeschlagen hat.

2. Die Untersuchung des Ruinenhügels darf nicht auf interessante Museumsstücke aus sein, sondern hat in den Schichten allen Funden jeder Art Beachtung zu schenken und anhand der Schichtenfolge die Geschichte der Stadt in einer relativen und soweit möglich auch absoluten Chronologie festzulegen.
3. Die Keramikfunde erweisen sich als sichere Kriterien für die Schichtendatierung. Diese schon in Ägypten gewonnene Erkenntnis setzte Flinders Petrie nun zum erstenmal in Palästina ein. In der Folge bewies diese Methode ihre außerordentliche Tauglichkeit für die Beurteilung von Grabungsbefunden. Denn bei jeder Ausgrabung fällt reichlich Keramik an, in ihrer Zeit weggeworfene Scherben, die in der Folge aber weniger als andere Materialien von Witterungseinflüssen verändert oder zerstört worden sind. Die Art des Tons, die Oberflächenbehandlung, die Form der Gefäße, Schmuck und Bemalung sind heute so gründlich erforscht, daß ein Kenner die unterscheidenden Merkmale bestimmten Kulturepochen (Bronzezeit, Eisenzeit usw., mit den feineren Unterteilungen) zuweisen kann. Flinders Petrie hatte den richtigen Weg gewiesen.

Noch in anderer Hinsicht war das Jahr 1890 ein Markstein in der Geschichte der palästinischen Archäologie. In diesem Jahr gründete der französische Dominikaner M.-J. *Lagrange* in Jerusalem die *École Biblique*, das erste Forschungsinstitut auf dem Boden Palästinas selbst, zu dem sich in den folgenden Jahrzehnten noch mehrere andere gesellen sollten (Zeitschrift seit 1892: Revue Biblique). Lagrange begründete damit im katholischen Raum die historisch-kritische Methode, die er «méthode historique» nannte. Danach ist es Aufgabe der biblischen Forschung, die geschichtlichen und kulturellen Verhältnisse aufzuhellen, die den biblischen Berichten zugrunde liegen und deren literarische Eigenart bestimmt haben. Dazu aber bedarf es dringend der Archäologie. Zwar war Lagrange nicht selbst Archäologe, er hat jedoch seiner Schule eine betont archäologische Richtung gegeben, so daß sie 1920 vom französischen Staat als französisches archäologisches Institut in Jerusalem anerkannt wurde.

Der führende Archäologe der Schule war später lange Zeit L.-H. *Vincent* (1872–1960), der, ausgenommen die beiden Weltkriege, von 1891 an bis zu seinem Tod ununterbrochen in Jerusalem lebte und das Heilige Land wie kein zweiter kannte. In seinem Werk «Canaan d'après l'exploration récente» (Paris 1907) faßte er vor allem die Ergebnisse der archäologischen Tätigkeit des Palestine Exploration Fund und des Deutschen Palästina-Vereins zusammen. Er handelt von den kanaanäischen Städten und ihren Befestigungen, von den Kultorten, -gegenständen und -praktiken sowie von den Gräbern und Totenbräuchen.

An weiteren Gründungen archäologischer Gesellschaften und Institute sind aus dieser Zeit zu nennen: die *Deutsche Orient-Gesellschaft* (1898; Zeitschrift: Mitteilungen der Deutschen Orient-Gesellschaft), die *American School of Oriental Studies* (später: *Research,* 1900; Publikationen: Bulletin of the American Schools of Oriental Research, seit 1919; The Annual of the American Schools of Oriental Research, seit 1920; The Biblical Archaeologist, seit 1938), das *Deutsche Evangelische Institut für Altertumswissenschaft des Heiligen Landes* (1902; Organ 1905–1941: Palästinajahrbuch), die *Jewish Palestine Exploration Society* (1913; Organ: Bulletin of the Jewish Palestine Exploration Society). Die Deutschen führten einige wichtige Grabungen durch, in Taanach (1901–1904: E. Sellin), Megiddo (1903–1905: G. Schumacher) und Jericho (1907–1909: E. Sellin/C. Watzinger).

Zwar erreichte die Ausgrabung von Jericho bereits eine relative Vollkommenheit, jedoch wurde überall in der Datierung der Schichten und Mauern noch massiv danebengegriffen. Der Palestine Exploration Fund erforschte Geser (1902–1909: R. A. S. Macalister). Die vollkommenste und wichtigste Grabung dieser Zeit wurde von der Harvard Universität unter Leitung des genialen Archäologen G. A. *Reisner* in Samaria durchgeführt. Der Ausbruch des Ersten Weltkriegs 1914 setzte dieser zweiten Phase der palästinischen Archäologie ein Ende.

3. Die Zeit zwischen den beiden Weltkriegen

Die dritte Phase, die Zeit zwischen den beiden Weltkriegen (genauer: bis zum Ausbruch der arabischen Unruhen 1936), hat sich in der palästinischen Archäologie als die fruchtbarste erwiesen. Bis dahin war Palästina türkisch gewesen. 1920 wurde es von den Alliierten und 1922 vom Völkerbund England als Mandatgebiet übertragen. Wenn auch die britische Verwaltung Palästinas nicht unangefochten blieb, für die archäologische Arbeit brachte sie erhebliche Vorteile. Die Mandatregierung richtete eine amtliche Altertümerverwaltung (Department of Antiquities) ein, die die archäologische Tätigkeit im Land überwachte und förderte (Organ: The Quarterly of the Department of Antiquities in Palestine). Mit Hilfe einer Rockefeller-Stiftung gründete sie 1921 in Jerusalem ein ausgezeichnetes archäologisches Museum für Palästina (der Grundstein zum jetzigen Gebäude wurde 1930 gelegt). So blieben fortan die in Palästina gefundenen Objekte im Lande, statt in die europäischen und amerikanischen Museen abzuwandern. Das Aufkommen des Autos erleichterte und verkürzte die Wege zu den Grabungsstätten, und zwischen den verschiedenen nationalen Equipen wurde ein lebhafter Meinungsaustausch gepflegt. Neue Forschungsinstitute und -gesellschaften wurden ins Leben gerufen: die *Palestine Oriental Society* (1920; Organ: Journal of the Palestine Oriental Society), die *British School of Archaeology* (1920), die *Hebräische Nationaluniversität in Jerusalem* (1925), die Jerusalemer *Filiale des Päpstlichen Bibelinstituts* in Rom (1927).

Die wichtigsten Grabungen dieser Zeit waren die von der sogenannten Joint Expedition, einem englisch-amerikanisch-jüdischen Gemeinschaftsunternehmen in Samaria durchgeführten (1931–1935: J. W. Crowfoot), die britischen in Lachisch (1932–1938: J. L. Starkey) und die amerikanischen in Bet-Schean (1921–1933: C. S. Fisher, A. Rowe, G. M. Fitz-Gerald), Megiddo (1925–1939: C. S. Fisher, P. L. O. Guy, G. Loud) und *tell bēt mirsim* (1926–1932: W. F. Albright). Albrights Verdienst ist, daß er erstmals die Keramikfunde voll in den Dienst der Schichtenbestimmung stellte.

Von den zahlreichen anderen bedeutenden archäologischen Unternehmungen zwischen den beiden Weltkriegen seien noch besonders die Grabungen des Päpstlichen Bibelinstituts auf der chalkolithischen Stätte *telēlāt ghassūl* (s. S. 35.47) nördlich des Toten Meeres (1929–1938: A. Mallon, R. Koeppel) und die französische Grabung in Ai (1933/34: J. Marquet-Krause) erwähnt.

Obwohl über den palästinischen Raum im strengen Sinn hinausgehend, dürfen zwei französische Grabungen nicht unerwähnt bleiben, die für die biblische Forschung von außergewöhnlicher Wichtigkeit geworden sind: diejenigen von Ugarit *(rās esch-schamra)* an der nordsyrischen Küste (seit 1929: C. F. A. Schaeffer) und Mari am Mittleren Eufrat (seit 1933: A. Parrot). Die Ausgrabungstechnik erfuhr in dieser Zeit eine weitere Verfeinerung, die Bestimmung der Keramik gelangte zu noch größerer Sicherheit.

4. Die palästinische Archäologie nach 1945

Wie in den ersten Jahren vor dem Zweiten Weltkrieg, so litt die archäologische Tätigkeit auch in den ersten Jahren danach unter den arabisch-jüdischen Spannungen, die Ende 1947 zum palästinischen Krieg und in der Folge zur Teilung des Landes führten. An die Stelle der palästinischen traten jetzt die israelische und die jordanische Altertümerverwaltung.

Abb. 16 *Ausgrabungen von Jericho (K. M. Kenyon 1952–1958): Befestigungsturm auf der Innenseite der Stadtmauer, Durchmesser 8,5 m, 8. Jt. v. Chr.*

Während die Israelier die archäologische Forschung von Anfang an tatkräftig in die Hand nahmen, wurde sie auf arabischer Seite weiterhin von europäischen und amerikanischen Institutionen wahrgenommen. Auch die Luftbilderkundung konnte jetzt in den Dienst der Archäologie gestellt werden. Die größte Bedeutung haben im damals jordanischen Teil des Landes die Ausgrabungen der Engländerin K. M. *Kenyon* in Jericho (1952–1958), des französischen Dominikaners R. *de Vaux* in *tell el-fār*^{c}*a* (Tirza?; 1946–1960) und *chirbet k̥umrān* (1951–1956), die gemeinsamen Ausgrabungen der beiden genannten Gelehrten am Osthang des alten Stadthügels von Jerusalem (1961–1967) und diejenigen der amerikanischen Archäologen J. B. *Pritchard* in *ed-dschīb* (Gibeon?; 1956–1962), J. L. *Kelso* in Bet-El (1954–1957) und G. E. *Wright* in Sichem (1956–1964 und wieder 1972/73) erlangt. Eine wahre Explosion erlebte die Archäologie auf israelischer Seite. Erwähnung verdienen vor allem die Grabungen von Y. *Yadin* in Hazor (1955–1958) und Masada (1963–1965), von Y. *Aharoni* und R. *Amiran* in Arad (1962–1967 und wieder ab 1971), wo ein Tempel aus der israelitischen Königszeit entdeckt wurde, Y. Aharoni in Beerscheba (1969–1975) und von A. *Biran* in Dan (1966–1984).

Mehr und mehr gab auch der Negev seine Geheimnisse preis. Eine wahre Offenbarung war schon 1934–1938 die Erforschung der nabatäisch-byzantinischen Städte Subeita (Schivta), Nessana (Nizzana), Elusa (Chaluza) und Oboda (Avdat) mit ihren prächtigen Kirchen unter Leitung von H. D. *Colt,* seit 1958 israelischerseits ergänzt.

Durch israelische und franziskanische Archäologen wurde die Erforschung der antiken Synagogen in Galiläa, auf dem Golan und im südlichen Judäa mit ihren Mosaiken und Inschriften mächtig vorangetrieben.

Daß aber keine biblische Stadt das Interesse der Archäologen stärker herausfordert als Jerusalem, liegt nahe. Die Ausgrabungen gestalten sich hier besonders schwierig, weil Jerusalem, wenn auch in unterschiedlicher Ausdehnung, durch die Jahrtausende bis zur Gegenwart besiedelt war. Nachdem die Engländerin K. *Kenyon* 1961–1967 Anlage und Verteidigungssystem der vorisraelitischen und israelitischen Stadt («Davidsstadt») geklärt hatte, konzentrierten sich die israelischen Ausgrabungen nach dem «Sechstagekrieg» von 1967 zunächst auf die Altstadt des heutigen Jerusalem (N. *Avigad,* B. *Mazar,* M. *Broshi*) und führten zur Erkenntnis, daß die Stadt seit dem 8. Jh. v. Chr. auf den südlichen Westhügel

Abb. 17 *Der auf einer Mergelterrasse über dem Westufer des Toten Meeres liegende Ruinenkomplex von Qumran. Im Hintergrund das transjordanische Hochland mit dem Berg Nebo.*

übergriff. Das Interesse der von Y. *Shilo* 1978–1985 geleiteten Grabungen galt der Geschichte der «Davidsstadt» seit ihren Anfängen um 3000 v. Chr. Weiteres s. S. 152.

Auch die deutsche Archäologie kam wieder in Fahrt. Die deutsch-israelischen Grabungen auf *chirbet el-mšaš* im Negev (1972–1975) unter Leitung von V. *Fritz* und A. *Kempinski* hatten weitreichende Konsequenzen für die Beurteilung des Landnahmevorgangs. Deutsche Ausgrabungen (V. *Fritz*) sind seit 1982 auf dem *tell el-ᶜorēme* (Kinneret) am See Gennesaret im Gang. Ute *Wagner-Lux* hat 1976–1980 in *umm ḳēs* im Ostjordanland die Dekapolisstadt Gadara erforscht.

Von all diesen Ausgrabungen und Funden dürften indes keine mehr Publizität erlangt haben als die Funde von *chirbet ḳumrān* (kurz Qumran genannt), die wir einem Zufall verdanken. Heute füllt das wissenschaftliche und populäre Schrifttum über die asketisch lebende Mönchsbruderschaft vom Toten Meer eine ganze Bibliothek, und die Flut der Veröffentlichungen reißt nicht ab. Eine eigene wissenschaftliche Zeitschrift (Revue de Qumran, seit 1958) ist allein der Auswertung der Qumran-Funde gewidmet. Ein Studium des Neuen Testaments ist ohne Kenntnisse dieser Funde heute ebenso undenkbar wie eine Palästinareise ohne Besuch der attraktiv zugänglich gemachten Ruine von Qumran.

5. Museen

Am Schluß dieser gedrängten Übersicht über hundert Jahre Archäologie in Palästina stellt der Leser die berechtigte Frage, wohin denn die bei den Ausgrabungen gefundenen Gegenstände gewandert und wo sie zu sehen seien. Hierbei ist zu unterscheiden zwischen Funden, die aus Palästina selbst stammen, und solchen aus den Nachbarländern Israels, die einen direkten oder indirekten Bezug zur biblischen Geschichte haben. Da die Geschichte Palästinas unlösbar verflochten ist mit jener Ägyptens einerseits und Mesopotamiens und Kleinasiens andererseits, sind für die biblische Altertumskunde die Funde aus diesen Räumen nicht weniger wichtig als jene aus Palästina. Die größte Sammlung ägyptischer Antiquitäten ist zweifellos das *Ägyptische Museum* in *Kairo*, das eine vollständige Übersicht über die gesamte Geschichte Ägyptens vermittelt. Für den Bibliker besonders interessant sind ein Teil des Amarna-Briefarchivs (s. o. S. 56f) und die Siegesstele des Pharao Merenptah (1224–1204), auf der zum erstenmal der Name Israel inschriftlich belegt ist (s.u. S. 149f). Aber auch in zahlreichen Museen Europas finden sich bedeutende ägyptologische Sammlungen (London, Paris, Leiden, Hildesheim, Turin u.a.).

In der Türkei, der bis zum Ersten Weltkrieg der ganze Vordere Orient unterstand, herrschte bis 1907 eine äußerst liberale Gesetzgebung. So konnten die Funde aus Kleinasien und Mesopotamien ungehindert in die Berliner Museen, das Britische Museum und den Louvre wandern. Im *Vorderasiatischen Museum* in (Ost-)*Berlin* finden wir u. a. Funde der deutschen Grabungen in Boğhazköy, der ehemaligen Hauptstadt des Hetiterreiches, sowie aus Babel, Assur und Uruk (Erech, Gen 10,10). Die Berliner Museen konnten auch etwa die Hälfte der Amarna-Briefe erwerben.

Wichtige Funde aus dem türkischen Palästina kamen in das Antikenmuseum von *Istanbul,* bis 1920 Hauptstadt der Türkei. So der Geser-Kalender, ein Kalksteintäfelchen mit Anweisungen für die in jedem Monat zu verrichtenden Arbeiten auf dem Feld (wohl 10. Jh. v. Chr.), die Schiloach-Inschrift (s.o. S. 89) und die Warntafel vom herodianischen Tempel (s.o. S. 134). Manche Funde gingen aber auch in die Heimatländer der Ausgräber oder Käufer (so der Mescha-Stein [s. o. S. 129f] in den Louvre).

Dies änderte sich, als unter dem britischen Mandat das *Palästina-Museum* in *Jerusalem* geschaffen worden war (s. o. S. 137). Da dieses nach der Teilung der Stadt 1949 im arabischen (jordanischen) Teil verblieb, gründeten die Israelier bei der neuen hebräischen Universität das *Israel-Museum.* Diese beiden Museen stellen mit Abstand die wichtigste archäologische Illustration zur Palästinakunde dar. Sie können heute in der wieder vereinigten Stadt mühelos besucht werden. Die Fundgeschichte der Handschriften von Qumran brachte es mit sich, daß diese heute auf beide Museen verteilt sind.

Unterdessen waren aber auch die anderen Staaten der biblischen Länder hinsichtlich der Ausgrabungsfunde nationalbewußter geworden. Die Museen von *Amman, Damaskus, Aleppo, Beirut* u. a. enthalten unschätzbare Werte, so

Damaskus auf einem kleinen Tontäfelchen aus Ugarit das älteste Alphabet der Welt, Beirut den Sarkophag des Königs Ahiram von Byblos, auf dem wir erstmals das phönizische Alphabet voll ausgebildet finden (s.u. S. 147). Das Antikenmuseum in *Teheran* birgt die Funde aus Iran und somit auch aus der für die Geschichte Israels besonders wichtigen Zeit der Achämeniden.

Die wichtigsten die Bibel betreffenden Sammlungen in den Vereinigten Staaten finden sich im Metropolitan Museum von New York und im Museum von Brooklyn, im Museum of Fine Arts, Boston, und im Semitic Museum der Harvard Universität in Cambridge, Mass., im Museum des Oriental Institute von Chicago und im Museum der University of Pennsylvania in Philadelphia.

III.

DER ERTRAG DER ARCHÄOLOGIE

Nicht nur die palästinische Archäologie hat der biblischen Wissenschaft wertvolle Dienste erwiesen. Mindestens ebenso wichtig waren die in den anderen Ländern des Vorderen Orients und des östlichen Mittelmeerbeckens durchgeführten Ausgrabungen. Während aber bei diesen oft nationaler Ehrgeiz und die Interessen mächtiger Museen die Hand im Spiel hatten, war die palästinische Archäologie von Anfang an vom Bestreben geleitet, durch die Erforschung des Landes das Verständnis der Bibel zu fördern, auch wenn vereinzelt der Wunsch im Vordergrund stand, die Berichte der Bibel «bestätigt» zu finden.

Die Bestätigung biblischer Aussagen ist tatsächlich nur ein kleiner Teil des archäologischen Ertrags, und wenn er an erster Stelle genannt wird, bedeutet dies nicht, daß er der wichtigste sei. Einen zweifellos größeren Dienst erweist die Archäologie der Bibelwissenschaft dadurch, daß sie die Berichte der Bibel präzisiert, ergänzt und berichtigt. Ihre eigentliche Bedeutung aber liegt darin, daß sie diese in die großen Zusammenhänge der Geschichte und Kultur des Alten Orients eingliedert und von seiner Lebens-, Denk- und Sprechweise her deutet. Allerdings lassen sich diese drei Aspekte nicht sorgfältig trennen. Eine und dieselbe Entdekkung kann die Bibel sowohl bestätigen als auch ergänzen und ihren kulturgeschichtlichen Hintergrund aufhellen. In diesem Sinn wollen die folgenden Bemerkungen verstanden sein.

1. Die Archäologie bestätigt die Bibel

Waren die Menschen, die die Bibel angeblich geschrieben haben, etwa Mose, überhaupt im Besitz einer Schrift? Gewiß herrscht heute Einmütigkeit darüber, daß die sogenannten «fünf Bücher Mose», der Pentateuch, nur zu einem äußerst bescheidenen Teil direkt auf Mose zurückgehen. Andererseits sind – dank der Archäologie – die Zeiten endgültig vorbei, in denen bezweifelt wurde, daß Mose schreiben konnte. Es ist erwiesen, daß in der Spätbronzezeit (1600–1200 v. Chr.) in Palästina mindestens vier Schriftsysteme gleichzeitig in Gebrauch waren: die ägyptische Hieroglyphenschrift, die syllabische babylonische Keilschrift sowie zwei alphabetische Schriften: das Keilschriftalphabet von Ugarit und das lineare kanaanäisch-phönizische Alphabet.

Die ägyptische *Hieroglyphenschrift* ist auf palästinischem Boden vor allem in Stelen (= Gedenksteinen) und Statuen vertreten, die unter der ägyptischen Herrschaft über Palästina während der Mittel- und Spätbronzezeit (s. o. S. 50ff) in Städten und Festungen aufgestellt wurden. So besitzen wir aus der Garnisonstadt Bet-Schean südlich des Tiberiassees drei Stelen von Pharaonen und das Bruchstück einer vierten, ferner eine Statue eines Pharaos, private Stelen und andere Hieroglypheninschriften. Neben den Stelen sind vor allem die zahlreichen Skarabäen zu nennen, die mit Hieroglyphen beschriftet sind. Es handelt sich hierbei um ägyptischen Schmuck in Form eines Mistkäfers, der als Amulett oder Siegel verwendet wurde. Die Skarabäen fanden sich in den Ruinen palästinischer Städte und besonders in deren Gräbern. Da sie oft den Namen eines Pharaos tragen, können sie für die Datierung einer Fundschicht wertvollen Aufschluß geben. Die meisten Skarabäen wurden in südpalästinischen Städten wie *tell el-fār*^{c}*a, tell el-*^{c}*addschūl,* Lachisch und Geser gefunden, wo die Verbindung mit Ägypten am intensivsten war. Aber auch aus Sichem und Mittelpalästina z. B. sind mehrere Dutzend Skarabäen bekannt.

Auch das auf dem Boden Palästinas gefundene oder aus Palästina stammende Material in babylonischer *Keilschrift* ist bemerkenswert. Bis jetzt sind bei Ausgrabungen in Palästina ungefähr zwanzig Keilschrifttafeln aus dem 15. und 14. Jh. ans Licht gekommen. Zwölf stammen von Taanach *(tell ta*^{c}*annek)* am Südrand der Ebene Jesreel (aus dem Archiv des Stadtvorstehers), die übrigen von *tell el-chesi*, Geser, Sichem, Jericho und Megiddo. Vor allem aber ist zu bedenken, daß die Hauptmasse der in Ägypten gefundenen, in babylonischer Sprache und Keilschrift geschriebenen Amarnabriefe von syrisch-palästinischen Fürsten stammt.

Indes war im beginnenden 2. Jt. v. Chr. im kanaanäischen Raum noch eine weitere Silbenschrift bekannt, die allerdings – nach den spärlichen Dokumenten zu schließen – nur wenig Verbreitung fand. Sie wird bezeugt durch eine Anzahl von piktographischen Inschriften (insgesamt sind bis heute deren zehn festgestellt), die in Byblos gefunden wurden. Wenn die Schrift auch noch nicht entziffert ist, so darf es doch als sicher gelten, daß wir es mit einer syllabischen Schrift zu tun haben. Im Gegensatz zur ägyptischen Hieroglyphenschrift und zur akkadischen Keilschrift mit ihren Hunderten von Zeichen weisen diese Byblos-Inschriften nur 114 verschiedene Zeichen auf, was bereits als ein Schritt zur Vereinfachung der Schrift gedeutet werden muß.

Die große kulturelle Leistung des Landes Kanaan kurz vor

der israelitischen Landnahme aber war die *alphabetische Schrift.*[43a] Sie tritt uns zwischen 1500 und 1000 v. Chr. in zwei völlig verschiedenen Formen entgegen: im Keilschriftalphabet von Ugarit *(rās esch-schamra)* und im linearen kanaanäisch-phönizischen Alphabet, von dem sich das hebräische, das griechische und das lateinische Alphabet herleitet. Die *ugaritische Keilschrift* ist eine Anpassung der babylonischen Keilschrift an das alphabetische Prinzip. Während die babylonische Keilschrift als Silbenschrift mit mehreren hundert Zeichen arbeiten mußte, kam die ugaritische Keilschrift mit 29 Zeichen aus und konnte sich deshalb auf die einfachsten Formen beschränken. Die in die Hunderte gehenden Texte von Ugarit befinden sich im Louvre in Paris und im Museum von Aleppo (einzelne auch in Damaskus, s. o. S. 143f). In Palästina sind bis jetzt nur zwei kurze Texte in ugaritischer Keilschrift gefunden worden, die aber doch beweisen, daß diese dort im 14. Jh. v. Chr. bekannt war.

Das *lineare kanaanäisch-phönizische Alphabet* benötigte für seine Entwicklung mehrere Jahrhunderte. Die ältesten Belege sind die sogenannten Sinai-Inschriften. Es handelt sich um kurze, in die Felsen des Sinaimassivs geritzte Worte semitischer Fronarbeiter, die von den Pharaonen zur Ausbeutung der Kupfer- und Malachitminen im Sinaigebirge eingesetzt wurden. Bis heute sind 26 solche Inschriften entdeckt worden, die meisten in *ṣerābīṭ el-chādem.* Sie dürften aus dem Beginn des Neuen Reiches und dem Übergang von der Mittel- zur Spätbronzezeit im 16. Jh. v. Chr. stammen. Aber auch an mehreren Orten Palästinas fanden sich frühe Beispiele dieser alphabetischen Schrift, so in Sichem, Geser und Lachisch. In vollendeter Gestalt begegnet uns das kanaanäisch-phönizische Alphabet auf dem Sarkophag des Königs Ahiram von Byblos (10. Jh., jetzt im Museum von Beirut). Es ist die Zeit Davids und Salomos. In dieser Schrift schrieb David den hinterlistigen Brief an seinen Heerführer Joab, worin er ihm auftrug, dafür zu sorgen, daß Urija, der Mann der Batseba, im Kampfe falle (2 Sam 11,14f); in dieser Schrift ließ er die von ihm komponierten Psalmen aufschreiben. In ihr schrieben die Geschichtsschreiber des königlichen Hofes die Annalen, die den Samuel- und Königsbüchern zugrunde liegen.

Mit Hilfe archäologischer Funde läßt sich die weitere Entwicklung der kanaanäisch-phönizisch-hebräischen Schrift durch die Geschichte Israels bis zur Zeit Jesu verfolgen. So bieten uns die Schiloach-Inschrift am Ausgang des Wassertunnels des Hiskija (ca. 700 v. Chr.; s. o. S. 89) und die Briefe von Lachisch (588 v. Chr.; s. u. S. 150) die Schrift dar, der sich die Propheten Jesaja und Jeremia bedienten. Die Texte von Qumran schließlich zeigen uns die Schrift, in der man zur Zeit Jesu in Palästina hebräische und aramäische Texte schrieb.

Wichtiger jedoch als die materielle Geschichte der Schrift ist für uns das breite Feld der Literatur, dem die Schrift dienstbar gemacht wurde. Auch in dieser Hinsicht hat die Archäologie eine völlig neue Situation geschaffen. Sie hat uns vor allem eine ganz andere Vorstellung vom hohen Alter der literarischen Tätigkeit im Alten Orient vermittelt. Wir wissen nun um das erstaunlich hohe Niveau, das die *Geschichtsschreibung* in der zweiten Hälfte des 2. Jt. v. Chr. bei den Hetitern erreicht hatte, rund ein halbes Jahrtausend, bevor die Geschichtsschreibung in Israel einsetzte.[44]

Zur gleichen Zeit finden wir in Ugarit schon eine *religiöse Poesie,* die in mancher Hinsicht einen Vergleich mit den wiederum um Jahrhunderte jüngeren «davidischen» Psalmen des Alten Testaments ohne weiteres aushalten kann. Das religiöse Denken der Umwelt Israels ist uns in einer farbenfrohen *Mythologie* verstehbar geworden. So ist die biblische Sintfluterzählung kein Rätsel mehr, seit wir eine ganz ähnliche babylonische Fluterzählung kennen. Was das Rechtswesen angeht, so sind heute aus der Welt des Alten Orients nicht weniger als sechs *Gesetzessammlungen* bekannt, die älter sind als das mosaische Gesetz: das Gesetz des Königs Ur-Nammu von Ur (sumerisch, ca. 2050 v. Chr.), das Gesetz des amoritischen Königs Bilalama von Eschnunna (babylonisch, ca. 1925 v. Chr.), das Gesetz des amoritischen Königs Lipit-Ischtar von Isin (babylonisch, ca. 1860 v. Chr.), das Gesetz des Hammurapi von Babel (babylonisch, ca. 1700 v. Chr.), das hetitische Gesetz (ca. 1450 v. Chr.) und das assyrische Gesetz (ca. 1350 v. Chr.). Von daher gesehen hat die Annahme, das israelitische Gesetz gehe wenigstens in seinem ältesten Kern auf eine von Mose schriftlich hinterlassene Verfügung zurück, jede Unwahrscheinlichkeit verloren.

Da Mose in Ägypten an die Hofschule ging, ist damit zu rechnen, daß er dort auch die Gesetzeskodizes der großen altorientalischen Völker studieren mußte; ihre Kenntnis kann auf sein eigenes Gesetz schwerlich ohne Einfluß geblieben sein. Das mosaische Gesetz ist ein sehr ausgeglichenes, abgewogenes Gesetz, und gelegentlich macht es den Eindruck, als habe Mose zwischen strengeren und milderen Bestimmungen anderer altorientalischer Gesetze bewußt die Mitte gewählt. So wird im mosaischen Gesetz bestimmt, wer einen anderen so schlage, daß dieser bettlägrig werde, habe dem Geschädigten den Arbeitsausfall und den Arzt zu bezahlen (Ex 21,18f). Nach dem Codex Hammurapi (§ 206) brauchte er ihm nur den Arzt zu bezahlen. Nach dem hetitischen Recht (I,10) jedoch hatte er nicht nur für Arbeitsausfall und Arztkosten aufzukommen, sondern dem Patienten noch ein Schmerzensgeld zu geben.

Indes haben die durch die Ausgrabungstätigkeit ans Licht gekommenen altorientalischen Texte nicht nur allgemein zu einer neuen Bewertung der biblischen Literatur geführt, vielmehr sind in ungezählten Fällen einzelne Angaben der Bibel durch inschriftliche Dokumente bestätigt worden. So werfen etwa die unsteten Elemente, die im 2. Jt. v. Chr. als *ḫab/piru* in Keilschrifttexten und als ^{c}*prw* (Apiru) in ägyptischen Texten erscheinen, ein grelles Licht auf die von unbändigem Freiheitsdrang erfüllten Hebräer *(^{c}ibrīm)* der Bibel (s. o. S. 61 ff). Oder wenn das auf einem in Theben gefundenen Denkstein in Hieroglyphen eingemeißelte Siegeslied des Pharao Merenptah (um 1220 v. Chr.) die Vernichtung «Israels» in Palästina durch den Pharao erwähnt (TGI 15), muß es um diese Zeit ein «Israel» genanntes Volkselement in Palästina gegeben haben. Die in Ex 1,11; 12,37; 13,20 genannten ägyptischen Festungen Pitom und Sukkot werden im Bericht eines ägyptischen Grenzbeamten als Durchgangsstation für asiatische Beduinen erwähnt (TGI 16), ähnlich suchten seinerzeit die Söhne Jakobs im Lande Goschen Weideland.

Zur Geschichte der Königszeit wiederum besitzen wir reiche keilinschriftliche Informationen, die die Mitteilungen der Bibel teils ergänzen, teils bestätigen. So wird die ein Jahrzehnt vor dessen Untergang erfolgte Annektierung ausgedehnter Gebiete des Nordreiches Israel durch Tiglat-Pileser von Assyrien und der Sturz des israelitischen Königs Pekach durch Hoschea (2 Kön 15,29f; s. o. S. 88) auch in den assyrischen Annalen erwähnt (TGI 27), desgleichen die Eroberung Samarias durch Salmanassar 722 v. Chr. (TGI 29; 2 Kön 17; s. o. S. 88). In verblüffender Weise stimmen der assyrische und der biblische Bericht über den Feldzug Sanheribs gegen Juda im Jahre 701 darin überein, daß Sanherib Jerusalem umzingelte, von Hiskija Tribut empfing, jedoch die Stadt nicht einnahm (2 Kön 18f; 2 Chr 32; Jes 36f; TGI 39; s. o. S. 89). Die beschriebenen Tonscherben (Ostraka) von Lachisch, Mitteilungen von Außenposten an den Stadtkommandanten, beleuchten schlaglichtartig die verzweifelte Situation, in der sich Juda nach der Invasion durch Nebukadnezzar 588 v. Chr. befand (TGI 45). Sie bestätigen die Mitteilung von Jer 34,7, daß zuletzt außer Jerusalem nur noch Lachisch und Aseka übrig waren, und reden von Leuten in Jerusalem, «die die Hände des Landes und der Stadt lähmen» (vgl. Jer 38,4).

Erst 1956 konnte eine im Britischen Museum liegende babylonische Chronik veröffentlicht werden, die nicht nur den biblischen Bericht bestätigt, wonach Nebukadnezzar 597 erstmals Jerusalem einnahm (2 Kön 24), sondern uns sogar das Datum der Einnahme auf den Tag genau angibt: 16. März

597 (TGI 44B; s. o. S. 92). Schließlich findet die biblische Mitteilung, Kyrus habe im Jahr 538 den Wiederaufbau des Tempels von Jerusalem angeordnet (Esra 6,3–5; 1,1–4; s. o. S. 93f), ihre Bestätigung in der Tonzylinder-Inschrift, worin Kyrus erklärt, er habe die nach Babel entführten Götter in ihre Heimat zurückgeschickt (TGI 50).

In zahlreichen Fällen hat auch der materielle archäologische Befund Ereignisse der biblischen Geschichte bestätigt. Nach dem Zeugnis der Ausgrabungen erfuhr eine ganze Reihe palästinischer Städte in der zweiten Hälfte des 13. Jh. v. Chr. eine totale Zerstörung, während die nachfolgende Kultur gegenüber der vorangehenden von äußerst primitiver Art war: Aschkelon, Gibea, Bet-Schean, Kirjat-Sefer, Mizpa, Bet-Schemesch, Megiddo, Lachisch, Hazor. Mag auch die Deutung dieses Befundes im einzelnen umstritten sein, so kann im letzten doch kein Zweifel darüber bestehen, daß die Zerstörungswelle mit dem Prozeß der israelitischen Landnahme in Verbindung steht. Daß das – wie die archäologischen Befunde erwiesen – im 12. Jh. blühende Schilo im 11. Jh. durch Feuer zerstört wurde, findet seine Erklärung in den 1 Sam 4 berichteten Ereignissen der Philisterkriege. Ebenso hat die ungefähr gleichzeitige Zerstörung von Dan die Erzählung von Ri 18 erhellt, wonach die Daniten auf der Suche nach neuem Siedlungsraum die Stadt Lajisch eroberten. Nach 1 Sam 13,19–22 besaßen die Philister in der Richter- und beginnenden Königszeit das Eisenmonopol (s. o. S. 42.73). Tatsächlich zeigt eine sorgfältige Überprüfung aller Eisenfunde und ihrer Umgebung, daß die Philister als die ersten im 12. und 11. Jh. Eisen verwendeten. Andererseits wurden in den Ausgrabungen von Philistersiedlungen auffällig viele Wein- und Bierkrüge gefunden, woraus geschlossen werden darf, daß die Philister diese Getränke zu schätzen wußten. «Auch in dieser Beziehung stimmt die Archäologie mit der biblischen Überlieferung überein, wie wir aus der Geschichte Simsons ersehen; es werden dort im Zusammenhang mit den Philistern häufig Zechgelage erwähnt, wobei allerdings deutlich darauf hingewiesen wird, daß Simson weder Wein noch Bier trank.»[45]

Wir kennen heute die kleine Festung Sauls in Gibea (heute *tell el-fūl*), wo David vor Saul die Harfe spielte und Saul nach ihm den Speer warf (1 Sam 16–19). Noch die Ruinen erweisen die bautechnische Unerfahrenheit der Israeliten in der damaligen Zeit. Wir kennen das komplizierte System der Wasserversorgung Jerusalems, das der Stadt den Zugang zu den (außerhalb der Stadt fließenden) Wassern der Gihon-Quelle sicherte und das teilweise aus dem 18./17. Jh., teilweise aus dem 8. Jh. v. Chr. stammt,[45a] wie auch die Einrichtungen, die das Wasser der Quelle in ein Speicherbecken im Inneren der Stadt leiteten: den oberirdischen Kanal des Ahas (vgl. Jes 7,3), den Felsentunnel des Hiskija (2 Kön 20,20; 2 Chr 32,2f.30) und die beiden durch sie gebildeten Schiloach-Teiche (vgl. Joh 9,7). Daß Salomo in seinem Reich die Städte Hazor, Megiddo und Geser besonders stark befestigte (1 Kön 9,15), haben die mächtigen Ringmauern und vierpaarigen Zangentore, die in den Ruinen dieser Orte freigelegt wurden, eindrücklich bestätigt. Die prächtige 10 m tiefe Kasemattenmauer, die das israelitische Samaria umgab, legt heute noch ein beredtes Zeugnis ab vom Glanz der Omri-Ahab-Stadt (vgl. 1 Kön 16,24), und die zahlreichen Funde von Elfenbeinschnitzereien, die bei den Ausgrabungen des Palastes Ahabs gemacht wurden, erklären, warum dieser Palast in der Bibel das «Elfenbeinhaus» genannt wird (1 Kön 22,39; s. o. S. 85).

Nach hundertjähriger archäologischer Erforschung Jerusalems konnte 1962 endlich auch ein Stück der von Nehemia wiederhergestellten Stadtmauer identifiziert werden. Dabei verdeutlichte sich auch der biblische Bericht Neh 3, Nehemia habe zwar die frühere Befestigung nur ausgebessert, die Mauer jedoch auf der Ostseite, entsprechend den reduzierten Ausmaßen der Stadt, zurückgenommen und an dieser Stelle neu gebaut.[46] Die heute noch in Jerusalem für jedermann sichtbaren machtvollen Unterbauten des herodianischen

Abb. 18 *Südostecke des herodianischen Tempelplatzes («Zinne des Tempels») mit ausgezeichnet erhaltenem herodianischem Bauwerk: über und unter der Erde insgesamt 35 Lagen von Steinblöcken, größter Block 7 m lang.*

Tempelplatzes illustrieren eindrucksvoll die Bemerkung der Jünger: «Meister, siehe, was für Steine und was für Bauten» (Mk 13,1 par.). Die unter der Heiliggrabkirche und ihrer Umgebung durchgeführten archäologischen Untersuchungen haben mit Sicherheit ergeben, daß die Stätte von Golgota, anders als heute, zur Zeit Jesu außerhalb der Stadt lag, wie dies das Neue Testament bezeugt (Joh 19,20; Hebr 13,12). In einem nordöstlichen Außenviertel von Jerusalem, Giveat ha-Mivtar, wurden 1968 in einer jüdischen Grabanlage die Skelettreste eines gekreuzigten jungen Mannes aus ungefähr der Zeit Jesu entdeckt.[47] Schließlich wurde am 16. Juni 1961 bei Ausgrabungen in Cäsarea am Meer das erste epigraphische Zeugnis vom Prokurator Pontius Pilatus gefunden, ein Stein mit der Aufschrift [PON]TIUS PILATUS ... [PRAEF]ECTUS IUDA[EA]E.

2. Die Archäologie präzisiert, ergänzt und berichtigt die Berichte der Bibel

Einige wichtige, in der Bibel nicht erwähnte Ereignisse der Geschichte Israels sind dank der Archäologie durch außerbiblische Dokumente bekannt geworden. Aus einer Inschrift des assyrischen Königs Salmanassar III. aus dem Jahr 854 erfahren wir, daß König Ahab von Israel zusammen mit Ben-Hadad I. von Damaskus zur Koalition syrisch-palästinischer Fürsten gehörte, die bei Karkar am Orontes vom König von Assyrien besiegt wurde (TGI 19; s. o. S. 85). Die Bibel selbst erzählt nur von Feindseligkeiten zwischen Israel und Damaskus (1 Kön 20; 22). Ebenso wissen wir lediglich aus einer anderen Inschrift desselben assyrischen Königs, daß ihm Jehu von Israel 842 v. Chr. Tribut bezahlte (TGI 20; s. o. S. 87). Ähnlich liefert der Denkstein des Königs Mescha von Moab wertvolle zusätzliche Informationen zum biblischen Bericht 2 Kön 3,4–27 (TGI 21; s.o. S. 87.132ff).

Aber die Archäologie hat nicht nur von der Bibel unerwähnte Dinge ans Licht gebracht, sie ermöglichte auch ein besseres Verständnis zahlreicher biblischer Texte. Die Ausgrabungen in Mesopotamien z. B. haben uns Kunde gegeben von den babylonischen Stufentürmen und ihrer Funktion als Wahrzeichen und Götterheiligtum einer Stadt. So sind wir in

Abb. 19 *Osttor von Sichem, ca. 1600 v. Chr. (Hyksos). Durch zangenförmige Vorsprünge versuchte man den Durchbruch durch das Stadttor zu erschweren. So ergaben sich die verbreiteten «Zangentore», die zwei (wie hier), drei- oder vierpaarig sein konnten.*

der Lage, im biblischen Bericht vom Turmbau zu Babel (Gen 11,1–11) eine durch diese Stufentürme veranlaßte volkstümliche Erzählung zu sehen, die den Zweck hatte, die Israeliten, die sich so leicht von den kulturellen Glanzleistungen ihrer heidnischen Nachbarvölker blenden ließen, vor dem Heidentum zu warnen und stattdessen die erhabene Ruhe und Sicherheit des Jahweglaubens zu preisen.

Seit uns (ab 1929) die Texte von Ugarit bekannt geworden sind und durch sie die Religion von Ugarit mit ihren spannenden mythologischen Epen, mit ihren fröhlichen Naturfesten und attraktiven Fruchtbarkeitsriten, beherrscht vom lebenspendenden Baal, der die Äcker, das Vieh, die Frauen fruchtbar macht, verstehen wir mühelos, daß der Baalkult jahrhundertelang auf Israel eine mächtige Anziehungskraft ausüben konnte.

Die Ausgrabungen haben aber vor allem die materielle Kultur der biblischen Zeit vor uns erstehen lassen. Wir können uns heute ganz konkrete Vorstellungen machen von Befestigungen, Stadtmauern und -toren, Häusern, Palästen, Keramik, Geld, Mühlen, Ölpressen, Weinkeltern, Schmuck, Amuletten. So ist seit 1955 anläßlich des Neubaus der Verkündigungskirche in Nazaret das bäuerliche Milieu, in dem Jesus aufwuchs, in Zisternen, Getreidespeichern und -mühlen, Öl- und Weinpressen greifbar geworden, und von einzelnen kleinen Häuschen sind die Grundmauern noch gut erhalten.

Andererseits hat die archäologische Forschung manche Darstellung der Bibel in ihrer geschichtlichen Zuverlässigkeit relativiert. Die Bibel ist keine unfehlbare Geschichtsquelle. So haben die Ausgrabungen von Jericho ergeben, daß die Stadt nicht von israelitischen Stämmen erobert und zerstört worden sein kann, wie der Bericht Jos 6 es will. Auch scheint die Landnahme von Süden her friedlicher vor sich gegangen zu sein, als sie in Ri 1 dargestellt wird.

3. Die Archäologie ordnet die Bibel in die großen Zusammenhänge der Geschichte und Kultur des Alten Orients ein

Dieser dritte Dienst, den die Archäologie der biblischen Wissenschaft erweist, ist zwar wenig spektakulär, in Wirklichkeit aber am wichtigsten. Denn die erste Voraussetzung für ein möglichst umfassendes Verständnis der Heiligen Schrift ist die Kenntnis der materiellen und geistigen Welt, in der die biblischen Schriftsteller lebten und sich bewegten und die ihre Äußerungen auf Schritt und Tritt bestimmen. Das kann sich bis auf unwichtige Kleinigkeiten des Alltagslebens erstrecken. Wenn etwa die Propheten mehrmals drohen, Jahwe werde dem Volk zur Strafe den Stab des Brotes zerbrechen (Ez 4,16; Ps 105,16 u. a.), so kann dieses Bild nur verstanden werden, wenn man sich vergegenwärtigt, daß im antiken (wie noch im modernen) Orient die ringförmigen Brote auf einem Stab gestapelt und von den Straßenverkäufern in den Gassen feilgeboten wurden. Wer weiß, welch vielseitige Symbolik im kanaanäischen Palästina mit der Schlange verbunden wurde, wird in der Schlange der biblischen Sündenfallerzählung nicht mehr so selbstverständlich den Teufel sehen, wie dies bis in die neueste Zeit geschehen ist.

Wie wichtig die Erforschung der Umwelt, wie sie uns die Archäologie ermöglicht, für das richtige Verständnis der Bibel ist, zeigt nicht zuletzt die Forderung des Zweiten Vatikanischen Konzils: «Der Erklärer (der Heiligen Schrift) hat nach dem Sinn zu forschen, wie ihn aus einer gegebenen Situation heraus der Hagiograph den Bedingungen seiner Zeit und Kultur entsprechend – mit Hilfe der damals üblichen literarischen Gattungen – hat ausdrücken wollen und wirklich zum Ausdruck gebracht hat. Will man richtig verstehen, was der heilige Verfasser in seiner Schrift aussagen wollte, so muß man schließlich genau auf die vorgegebenen umweltbedingten Denk-, Sprach- und Erzählformen achten, die zur

Zeit des Verfassers herrschten, wie auf die Formen, die damals im menschlichen Alltagsverkehr üblich waren» (Dei Verbum, Art. 12).

Wenn schon eine aufmerksame Lektüre der Bibel uns ein überraschend reiches Bild des biblischen Alltags vermittelt – der Zürcher Alttestamentler Ludwig Köhler hat vor über fünfzig Jahren in dem Bändchen «Der hebräische Mensch» (Tübingen 1953) ohne viel Archäologie, fast ausschließlich aufgrund der biblischen Texte und durch Vergleiche mit dem heutigen arabischen Volksleben versucht, «den hebräischen Menschen in der ganzen Mannigfaltigkeit seines äußeren und inneren Lebens vor uns hinzustellen» (S. 3) –, so hat die Archäologie dem Antlitz des kanaanäischen und israelitischen Menschen noch viel schärfere Konturen verliehen.

Die große Überraschung, die sich schon bald nach dem Beginn der archäologischen Erforschung Palästinas im Jahr 1890 (s.o. S. 134ff) darbot, war das hohe Niveau der Kultur Kanaans in der vorisraelitischen Bronzezeit. Wer sich das kanaanäische Palästina primitiv vorgestellt hatte, mußte seine Meinung gründlich revidieren. Es zeigte sich, daß die Israeliten dem Land Kanaan die Kultur, einschließlich der Sprache, nicht gebracht, sondern sie von diesem übernommen haben. Hebräisch ist nicht die Sprache, die die Israeliten ins Land mitbrachten, sondern die sie im Land vorfanden. Das oben (S. 136) genannte Werk von L.-H. Vincent «Canaan d'après l'exploration récente» (Paris 1907) stellt den ersten Versuch dar, die vorisraelitische Kultur Palästinas zu erfassen.

Seither haben achtzig Jahre palästinischer Archäologie unsere Kenntnisse immens bereichert. Von der Höhe der kanaanäischen Kunst am Vorabend der israelitischen Landnahme lassen etwa der hetitischen Einfluß verratende, aus einem einzigen Basaltblock gehauene Löwe aus Hazor (14. Jh., heute im Israel-Museum in Jerusalem) oder die Löwenplakette aus Bet-Schean (ca. 1400, heute im Palästina-Museum in Jerusalem) ahnen. Neuestens hat der lautenspielende «Tänzer von Dan» (Tonplakette 14./13. Jh., vielleicht auch hier hetiti-

Abb. 20 *Löwenskulptur aus Hazor, Basalt, 14. Jh. v. Chr. (Amarnazeit), Körper Hochrelief, Kopf vollplastisch. Stand (mit seinem nicht erhaltenen Gegenstück) am Eingang eines Tempels.*

Abb. 21 *Der lautenspielende «Tänzer von Dan» (14./13. Jh. v. Chr.)*

scher Einfluß) großes Aufsehen erregt.[48] So konnten auch immer wieder neue Synthesen der Kulturgeschichte Palästinas versucht werden.

Primitiv war nicht das vorisraelitische Kanaan, sondern die Kultur Israels unmittelbar nach seiner Einwanderung in Kanaan. Albright charakterisiert den Kontrast wie folgt: «Wenn wir die Archäologie der Zeit der Richter überblicken, so werden wir immer wieder von der außerordentlichen Einfachheit und kulturellen Primitivität, die wir im 12. und frühen 11. Jh. vorfinden, überrascht. Der frappante Gegensatz zwischen den gutgebauten kanaanitischen Fundamenten und Kanalisationssystemen des 13. und den kanalisationslosen, rohen Steinaufhäufungen, die sie im 12. Jh., besonders in Betel, ersetzen, kann kaum übertrieben werden» (Archäologie 117f). Erst unter Salomo wird ein neuer Höhepunkt erreicht, allerdings unter maßgeblicher Mithilfe der Phönizier, und er steigert sich noch unter Omri und Ahab im Nordreich (s. o. S. 84f). Hingegen ist die Armut der kleinen Heimkehrergemeinde in persischer Zeit auch archäologisch mit Händen zu greifen, bis sich dann mit dem Einbruch des Hellenismus in den griechischen oder hellenisierten Städten die griechisch-römische Kultur in betörender Pracht entfaltet.

Die Archäologie läßt uns aber nicht nur die geistigen und kulturellen Bedingtheiten Palästinas besser verstehen. Sie hat uns auch die Möglichkeit eröffnet, die biblische Geschichte in den Gesamtzusammenhang der alten Weltgeschichte einzugliedern. Ohne die Archäologie wüßten wir – um nur ein Beispiel zu nennen – nichts von den erregenden Konstellationen und dem radikalen politischen und völkischen Umbruch im östlichen Mittelmeerbecken um 1200 v. Chr., der auch die Geschicke Palästinas beeinflußte. Zwischen 1400 und 1200 v. Chr. hatten sich drei Imperien mehr oder weniger die Waage gehalten: die Hetiter im Norden (s. o. S. 58f), die Ägypter im Süden (s. o. S. 55ff) und die Achäer im Westen. Keines dieser Völker waren Semiten. Alle drei gingen um

1200 unter, zu einer Zeit, als sich die israelitischen Stämme erst zu einer Einheit konstituierten. Hatte man ursprünglich geglaubt, der Vordere Orient stelle einen kompakten semitischen Block dar, so wiesen die Ausgrabungen in Boğazköy in Zentralanatolien (1906–1912) die Hetiter als Indogermanen aus. Ebenso waren die Achäer Indogermanen, die Ägypter Hamiten.

Spätere Forschungen haben die Beziehungen zwischen der außerbiblischen und der biblischen Welt noch deutlicher gemacht. Sie setzen sogar eine Koexistenz zwischen Semiten und Indogermanen voraus. Greifbar werden solche Beziehungen nicht nur in hetitischen Einflüssen, die sich in der kanaanäischen Kunst der Spätbronzezeit geltend machen (s.o. S. 158–160), sondern auch in der mehrfachen Erwähnung von Hetitern im Alten Testament (Gen 23; 2 Sam 11 u. ö.; s. o. S. 59) und in den hetitischen Vertragstexten, die ein neues Licht auf die alttestamentlichen Bundesschlüsse werfen.

Ebenso bestanden starke kulturelle Beziehungen zwischen den Semiten und dem griechischen Kulturraum. So stellt Ugarit ein vor allem literarisches Bindeglied zwischen den beiden Kulturräumen dar. Von hier stammt das älteste Alphabet, das wir besitzen (s.o. S. 144.147) und das sowohl für die Hebräer wie für die Griechen Gültigkeit errang. Wie Funde auf Kreta ergaben, haben Westsemiten im 2. Jt. v. Chr. die ganze Ägäis beherrscht. Als dann die Achäer von Norden her in die Ägäis einströmten, mußten sie sich mit der kretisch-minoischen Kultur auseinandersetzen. Sie fühlten sich von der kretischen Zivilisation angezogen und begannen, kretische Sitten, Gebräuche und Kunst nachzuahmen. Zugleich aber strebten sie die Herrschaft im ganzen Mittelmeerraum an. Bald scheint es zu sporadischen Einfällen der Achäer auf Kreta gekommen zu sein. Sicher aber ist, daß die Achäer seit etwa 1450 die Herren von Kreta waren. Nun bemächtigten sie sich sukzessive auch der minoischen Stützpunkte auf den Inseln (Rhodos, Lesbos) und an der kleinasiatischen Küste

(Milet). Nur zwei Bollwerke hatten sich noch ihrem Zugriff entzogen: Troja und Ägypten.

Zwar sind wir nicht imstande, den Trojanischen Krieg genau zu datieren. Es dürfte aber doch sicher sein, daß die Achäer zuerst gegen Troja ihre Macht zusammengeballt haben und erst hernach gegen Ägypten. Der Fall Trojas muß wohl um 1300 v. Chr. oder wenig später angesetzt werden. Allerdings dauerte die achäische Herrschaft in Troja nicht lange. Denn ihr letztes großes kriegerisches Unternehmen, den Ansturm auf Ägypten, bewältigten die Achäer nicht, trotz der vielen Völkerschaften – in ägyptischen Texten «Völker des Meeres» genannt (s. o. S. 71f) –, die sie für sich mobilisierten. Das Völkergemisch bewegte sich zu Wasser und zu Land auf Ägypten zu. Auf dem Land waren sie erfolgreich. Sie bereiteten zuerst dem Hetiterreich den Untergang, das um 1200 v. Chr. zu bestehen aufhört; sie zerstörten, wie die Ausgrabungen gezeigt haben, auch eine ganze Reihe von Häfen an der Mittelmeerküste, so Ugarit, Dor, Aschkelon, wahrscheinlich auch Tyrus und Sidon. Weniger erfolgreich waren die Seevölker auf dem Meer. Sie wurden um 1170 v. Chr. von Ramses III. vernichtend geschlagen. Lediglich ein an die palästinische Küste geworfener Rest sollte die künftige Geschichte Israels entscheidend mitbestimmen: die Philister (s. o. S. 71–75).

Aber gerade auf das Problem dieser Philister fiel durch die Entzifferung der kretischen Inschriften neues Licht. Bekanntlich leitet die Bibel sie von Kaftor her (Am 9,7; Dtn 2,23; Jer 47,4), womit höchst wahrscheinlich Kreta gemeint ist. Während man nun bislang die Philister wegen ihrer Beteiligung an der achäischen Aggression gegen Ägypten und ihrer durch die Bibel bezeugten Unbeschnittenheit für Frühgriechen oder jedenfalls für Nichtsemiten hielt, zeigen die (sogenannten Linear A-)Texte, daß die angestammte Bevölkerung Kretas auch nach der Machtergreifung der Achäer ihre semitische Sprache beibehielt. Es war ja schon immer aufgefallen, daß die Israeliten und die Philister sich ohne weiteres verständigen konnten – offenbar sprachen diese semitisch.

Allein der archäologischen Forschung ist die Erkenntnis zu verdanken, daß die Ägäis viel stärker semitisiert und der Vordere Orient viel stärker indoeuropäisiert war als früher angenommen wurde. Viele biblische Phänomene werden dadurch verständlich.

IV.

DIE GRENZEN DER ARCHÄOLOGIE

Die gelegentlich in übertriebenem apologetischen Eifer aufgestellte Behauptung, die Archäologie habe die Berichte der Bibel glänzend bestätigt, läßt sich so pauschal nicht halten. Die Archäologie kann schon deshalb nicht alle Aussagen der Bibel bestätigen, weil die biblische Geschichtsschreibung unter anderen Gesetzen steht als die moderne. Gelegentlich wird der Volksüberlieferung sogar ein so breiter Raum zugestanden, daß sich der historische Kern auf ein Minimum reduziert. Gerade die Archäologie hat uns diesbezüglich vor frappante Tatsachen gestellt. So haben sowohl die Ausgrabungen in Ai wie die letzten Ausgrabungen in Jericho ergeben, daß diese beiden Städte schon Jahrhunderte vor der Landnahme der Israeliten zerstört waren und daß somit die entsprechenden biblischen Berichte (Jos 6 und 8) weniger im Dienst der Geschichte als der Glaubensverkündigung stehen. Diese Ausgrabungen, die zunächst unternommen wurden, um die biblischen Berichte bestätigt zu finden, haben demnach zu einem genau entgegengesetzten Resultat geführt. So hat die Archäologie uns den Blick geschärft für die Eigenheiten und Freiheiten gewisser literarischer Gattungen der Bibel.

Woher sich die biblischen Geschichtsschreiber das Recht nehmen, die Tatsachen mit einer für unsere Begriffe oft erstaunlichen Freiheit zu behandeln, ist nicht schwer zu verstehen. Ihnen geht es ja weniger darum, historische Fakten festzuhalten als göttliches Heilshandeln. Sie interessiert nicht die Geschichte als solche, sondern die Absicht, die Gott mit dieser Geschichte verfolgt, und das Ziel, das er mit ihr erreicht hat und erreichen will. Letztlich ist also auch die Geschichte in der Bibel *Glaubenszeugnis.* Deshalb brauchen wir nicht zu befürchten, daß die Archäologie den Glauben überflüssig mache oder gar zerstöre. Trotz der Einblicke und Erkenntnisse, die sie uns ermöglicht, wird immer ein weiter Raum für den Glauben bleiben.

ANMERKUNGEN

1 Vgl. *M. Noth*, Zur Geschichte des Namens Palästina, ZDPV 62, 1939, 125–144.
2 Durch den «Sechstagekrieg» (1967) fiel er Israel zu (s. S. 121f).
3 Der Begriff «judäisches Bergland» wird hier im weitestmöglichen Sinn (als Gegenüberstellung zum galiläischen und samarischen Bergland) gebraucht. Zum judäischen Bergland im strengen Sinn des Wortes gehören nur die Abschnitte *dschebel el-kuds* und *dschebel el-chalil* (s.u. S. 25). Der Abschnitt etwa von Bet-El an nordwärts (als ehemaliges Siedlungsgebiet des Stammes Efraim) wird vielfach «Gebirge Efraim» genannt (vgl. Ri 19,1). Da jedoch die nördliche Begrenzung dieses Gebirges Efraim von den verschiedenen Autoren sehr verschieden angenommen wird, soll hier auf die Verwendung des Begriffes verzichtet werden.
4 *kikkar hajjarden*: Gen 13,10f; 1 Kön 7,46; 2 Chr 4,17; *hakkikar*: Gen 13,12; 19,17.25.28f; Dtn 34,3; 2 Sam 18,23; Neh 3,22; 12,28.
5 Als Vergleich dienen etwa der Genfer See (Länge 72 km, größte Breite 14 km).
6 Der *lisan* ist bereits zu einer Landbrücke geworden. Der Südteil des Toten Meeres wird nur noch durch einen Kanal mit Wasser versorgt.
7 Die Israeliten erklärten den Namen volkstümlich mit der rötlichen Behaarung Esaus, des angeblichen Stammvaters der Edomiter (Gen 25,25), und mit dem roten Linsenmus, auf das er sich gierig stürzte (25,30).
8 Vgl. *N. Rosenan*, One Hundred Years of Rainfall in Jerusalem, IEJ 5, 1955, 137–153.
9 Das Wort *chamsin* bedeutet «fünfzig». Für diese Benennung des heißen Windes kann man verschiedene Begründungen hören: nach den einen soll er so heißen, weil er Temperaturen von 50° bewirke, nach den anderen, weil er 50 Tage im Jahr wehe.
10 Vgl. *M. Gilead/N. Rosenan*, Ten Years of Dew Observation in Israel, IEJ 4, 1954, 120–123.
11 Liste aller in der Bibel erwähnten Bäume s. Artikel Baum, BL 173f.
12 Liste aller in der Bibel erwähnten Tiere s. Artikel Tier, ebd. 1752–1756.

12a 1996 wurde von Baseler Archäologen in der syrischen Wüstensteppe ein menschliches Schädelfragment aus dem Acheuléen gefunden, dessen Alter auf etwa 400.000 Jahre veranschlagt wird.

12b Nach unseren heutigen Kenntnissen war Palästina das erste Land überhaupt, in dem es Brot gab.

13 Vgl. *E. Anati*, Palestine before the Hebrews, London 1963, 233–241.

14 Vgl. BRL[2] s.v. Dolmen.

15 Vgl. *J.L. Swauger*, Dolmen Studies in Palestine, BA 29, 1966, 106–114.

16 Vgl. *T.L. Thompson*, The Historicity of the Patriarchal Narratives, Berlin 1974, 118–171.

17 *K. Sethe*, Die Ächtung feindlicher Fürsten, Völker und Dinge auf altägyptischen Tongefäßscherben des Mittleren Reiches, Berlin 1926.

18 *G. Posener*, Princes et pays d'Asie et de Nubie. Textes hiératiques sur des figurines d'envoûtement du Moyen Empire, Bruxelles 1940.

19 *W. F. Albright*, The Archaeology of Palestine, Harmondsworth 1949, [4]1960; dt.: Archäologie in Palästina, Einsiedeln 1962, 82; *G. Posener*, in: The Cambridge Ancient History I/2, 3. Aufl. 1971, 555f.

20 *W. Helck* (Die Beziehung Ägyptens zu Vorderasien im 3. und 2. Jahrtausend v. Chr., Wiesbaden 2. Aufl. 1971, 62f) möchte den Befund der älteren Texte dahin interpretieren, daß es sich bei der Erwähnung mehrerer Fürsten einer Stadt nicht um ein Nebeneinander, sondern um ein Nacheinander handle.

21 Übersetzung nach E. Edel in TGI 1.

22 Vgl. *H. Schmökel*, Handbuch der Orientalistik II/3, Leiden 1957, 160.

23 *Y. Yadin*, Hyksos Fortifications and the Battering-Ram, BASOR 137, 1955, 23–32.

24 Zum einzelnen s. Artikel Amarna, BL 57–59.

25 Dtn 7,1; Jos 3,10; 24,11 finden wir als siebte Völkerschaft noch die Girgasiter.

26 Les Patriarches hébreux et les découvertes modernes, RB 1946, 1948, 1949, hier 53, 1946, 338f; dt.: Die hebräischen Patriarchen und die modernen Entdeckungen, Düsseldorf 1961, hier 18f.

27 I predecessori d'Israele, Rom 1956.

28 Amurru seit dem Ende des 3. Jt.; Kanaan erst seit dem 18. Jh. v. Chr. (s. o. S. 13).

29 Vgl. zu dieser Frage den Artikel Hebräer, BL 673–676, mit der dort genannten Literatur. Seither ist noch besonders zu beach-

ten *H. Cazelles*, The Hebrews, in: *D.J. Wiseman (Hrg.)*, Peoples of Old Testament Times, Oxford 1973, 1–28; *O. Loretz*, Habiru-Hebräer, Berlin 1984.

30 *M. Noth*, Geschichte Israels, Göttingen 6. Aufl. 1966, 85f; *R. de Vaux*, Histoire ancienne d'Israel II, Paris 1973, 21–24.

31 Vgl. vor allem die Auseinandersetzung mit der Amphiktyonie-These bei de Vaux, ebd. 24–36; *O. Bächli*, Amphiktyonie im Alten Testament, Basel 1977.

32 Vgl. zum Folgenden *R. de Vaux*, Histoire ancienne d'Israel I, Paris 1971, 487–614.

33 In 1 Kön 10,28 ist im hebräischen Text *misrajim* «Ägypten» in *musri*, eine Landschaft in der Gegend des Taurus, zu korrigieren.

34 Assyrischer Bericht in TGI 19.

34a Dazu *N. Na'aman*, The Historical Background of the Conquest of Samaria 720 B.C. (Bb 71, 1990, 206–225: Die Stadt wurde von *Sargon* eingenommen!)

35 Der Abzug des babylonischen Heeres von Jerusalem wird von den Auslegern auch anders begründet: Ausbruch einer Seuche (vgl. 2 Kön 19,35: Zuschlagen des Engels Jahwes), Tributleistung durch Hiskija, alarmierende Nachrichten aus Babylonien.

36 Vgl. PEQ 112, 1980, 11–17.

37 Klassische Beispiele für dieses Verständnis von «Archäologie» sind das zweibändige «Lehrbuch der Hebräischen Archäologie» von *W. Nowack*, Freiburg/Leipzig 1894, und die «Hebräische Archäologie» von *I. Benzinger*, Tübingen 1893, 2. Aufl. 1907, 3. Aufl. 1927. *F. Nötscher* betitelt sein ähnlich konzipiertes Werk «Biblische Altertumskunde», Bonn 1940.

38 Das Buch, in dem *Woolley* darüber berichtet, trägt den bezeichnenden Titel «Ur und die Sintflut» (Leipzig 3. Aufl. 1930).

39 *W. Keller*, Und die Bibel hat doch recht, Düsseldorf 1955, 33. Das betreffende Kapitel in diesem Buch trägt den Titel «Die Sintflut wird ausgegraben».

40 Zum legendären Charakter dieser Überlieferung vgl. *J. Vogt*, RAC III, 372–374.

41 Zur Geschichte der palästinischen Archäologie siehe vor allem *Albright*, Archäologie 24–49; *V. Fritz*, Einführung in die biblische Archäologie, Darmstadt 1985, 29–48.

42 Voyage autour de la Mer Morte et dans les terres bibliques, Paris 1853, II, 219–281.

43 The Recovery of Jerusalem, London 1871.

43a Zur alphabetischen Schrift s. *I. Naveh*, Early History of the Alphabet, Jerusalem 1982; *B. Sass*, The Genesis of the Alphabet and its Development in the Second Millenium B.C., Wiesbaden 1988; *Ders.*, Studia Alphabetica, OBO 102, 1991.

44 Vgl. *H. Cancik*, Grundzüge der hethitischen und alttestamentlichen Geschichtsschreibung, Wiesbaden 1976.

45 *Albright*, Archäologie 114.

45a *R. Reich/E. Shukron*, Light at the End of the Tunnel (Biblical Archaeology Review 25/1, 1999, 22–33.72). Was 2 Sam 5,8 mit dem «Schacht» (*sinnor*) gemeint ist, durch den die Männer Davids (vermutlich) in die Stadt eindrangen, muß offen bleiben.

46 Zur Nehemia-Mauer zuletzt PEQ 116, 1984, 81–88.

47 IEJ 20, 1970, 38–59; 35, 1985, 22–27.

48 IEJ 36, 1986, 168–173.

BIBLIOGRAPHIE

I. Teil: Physische Geographie

G. Dalman, Jerusalem und sein Gelände (Gütersloh 1930, Nachdruck Hildesheim 1968)
R. Koeppel, Palästina. Die Landschaft in Karten und Bildern (Tübingen 1930)
F.-M. Abel, Géographie de la Palestine (Paris 1933/38; 2 Bde., Nachdruck Paris 1967)
D. Baly, The Geography of the Bible (New York 2. Aufl. 1974); dt: Geographisches Handbuch zur Bibel (Neukirchen 2. Aufl. 1973)
M. du Buit, Géographie de la Terre Sainte (Paris 1958)
M. Noth, Die Welt des Alten Testaments (Berlin 4. Aufl. 1962) 5–57
E. Orni/E. Efrat, Geography of Israel (New York 3. Aufl. 1971)
O. Keel/M. Küchler/Ch. Uehlinger, Orte und Landschaften der Bibel, Bd. 1 (Zürich/Göttingen 1984) 25–288

Atlanten und Kartenwerke
H. Guthe, Bibelatlas (Leipzig 2. Aufl. 1925)
G.E. Wright/F.V. Filson, The Westminster Historical Atlas to the Bible (Philadelphia 2. Aufl. 1956)
G.E. Wright/F.V. Filson/Th. Schlatter, Kleiner historischer Bibelatlas (Stuttgart 6. Aufl. 1978)
L. Grollenberg, Bildatlas zur Bibel (Gütersloh 5. Aufl. 1965)
L. Grollenberg, Kleiner Bildatlas zur Bibel (Gütersloh 2. Aufl. 1982)
P. Lemaire/D. Bạldi, Atlante Storico della Bibbia (Turin 2. Aufl. 1964)
Israel. Arbeitsministerium (Hrsg.), Atlas of Israel (Amsterdam/Jerusalem 2. Aufl. 1970)
H.G. May, Oxford Bible Atlas (Oxford 2. Aufl. 1974)
TAVO = Tübinger Atlas des Vorderen Orients (Wiesbaden 1977ff).
Y. Aharoni/M. Avi-Yonah, Macmillan Bible Atlas (New York/London 1978); dt.: Der Bibelatlas, Hamburg 1981.
Palästina: Historisch-archäologische Karte. Zwei vierzehnfarbige Blätter 1:300.000, mit Einführung und Register (Göttingen 1981)
H.H. Rowley, Atlas zur Bibel (Wuppertal 1997)
O. Keel/M. Küchler, Herders großer Bibelatlas (Freiburg i.Br. 1989)
Stuttgarter Bibelatlas (Stuttgart 1988)

Flora/Fauna

I. Löw, Die Flora der Juden (Wien 1924–1934; 4 Bde., Nachdruck Hildesheim 1967)
I. Löw, Fauna und Mineralien der Juden. Hrsg. mit Vorwort und Anmerkungen v. A. Schreiber (Hildesheim 1969)
F. S. Bodenheimer, Animal and Man in Bible Lands (Leiden I 1960, II 1972)
R. H. Harrison, Healing Herbs of the Bible (Leiden 1966)
G. Bare, Plants and Animals of the Bible (London 1969)
V. Moller-Christensen/K. E. J. Jorgensen, Biblisches Tierlexikon (Konstanz 1969, aus dem Dänischen)
L. Untermeyer, Plants of the Bible (New York 1970)
G. S. Cansdale, Animals of Bible Lands (Exeter 1970)
M. Zohary, Plants of the Bible (Cambridge 1982); dt.: Pflanzen der Bibel (Stuttgart 1995)

II. Teil: Historische Geographie

E. Schürer, Geschichte des jüdischen Volkes im Zeitalter Jesu Christi (Leipzig 4. Aufl. 1901–1909; 3 Bde.).
E. Meyer, Die Israeliten und ihre Nachbarstämme (Halle 1906)
R. Kittel, Geschichte des Volkes Israel (Stuttgart 1925–29; 3 Bde.)
L. Desnoyers, Histoire du peuple hébreu: des Juges à la captivité (Paris 1922–30; 3 Bde.)
W. O. E. Oesterley/T.H. Robinson, A History of Israel (Oxford 1932; 2 Bde.)
J. Pedersen, Israel: Its Life and Culture (Kopenhagen 1926–1940; 2 Bde.)
A. Allgeier, Biblische Zeitgeschichte (Freiburg i.Br. 1937)
W. F. Albright, From the Stone Age to Christianity (Baltimore 1940, 2. Aufl. 1957); dt.: Von der Steinzeit zum Christentum (Bern 1949)
F.-M. Abel, Histoire de la Palestine depuis la conquête d'Alexandre jusqu'à l'invasion arabe (Paris 1952; 2 Bde.)
G. Ricciotti, Storia d'Israele (Torino 4. Aufl. 1947); dt.: Geschichte Israels (Wien 1953–55; 2 Bde.)
C.H. Gordon, Introduction to Old Testament Times (Ventnor 1953); dt.: Geschichtliche Grundlagen des Alten Testaments (Einsiedeln 2. Aufl. 1961)
A. Alt, Kleine Schriften zur Geschichte des Volkes Israel (München 1953–1959; 3 Bde.)
E. L. Ehrlich, Geschichte Israels von den Anfängen bis zur Zerstörung des Tempels (Sammlung Göschen; Berlin 1980)

M. A. Beek, Geschichte Israels von Abraham bis Bar Kochba (Stuttgart 1961)
A. und R. Neher, Histoire biblique du peuple d'Israel (Paris 1962: 2 Bde.)
A. Jirku, Geschichte Palästina-Syriens im orientalischen Altertum (Aalen 1963)
E. Anati, Palestine Before the Hebrews (New York/London 1963)
K. Galling, Studien zur Geschichte Israels im persischen Zeitalter (Tübingen 1964)
Y. Aharoni, The Land of the Bible. A Historical Geography (London 2. Aufl. 1980); dt.: Das Land der Bibel (Neukirchen 1984)
M. Weippert, Die Landnahme der israelitischen Stämme in der neueren wissenschaftlichen Diskussion (Göttingen 1967)
D. S. Russel, The Jews from Alexander to Herod (Oxford 1967)
M. Noth, Geschichte Israels (Göttingen 1986)
M. Avi-Yonah, A History of the Holy Land (New York/London 1969)
M. Avi-Yonah, Palaestina (Paulys Realencycl. d. class. Altertumswiss. Suppl. 13, München 1973, 321–454; auch Sonderdruck)
R. de Vaux, Histoire Ancienne d'Israel (Paris 1971/73; 2 Bde.)
A. H. J. Gunneweg, Geschichte Israels von den Anfängen bis Bar Kochba und von Theodor Herzl bis zur Gegenwart (Kohlhammer, Stuttgart o.J.)
J. Bright, A History of Israel (Philadelphia 2. Aufl. 1972); dt.: Geschichte Israels (Düsseldorf 1966)
S. Herrmann/W. Klaiber, Geschichte Israels von Abraham bis Bar Kochba (Stuttgart 1996)
D. J. Wiseman (Hrsg.), Peoples of Old Testament Times (Oxford 1973)
M. Metzger, Grundriß der Geschichte Israels (Neukirchen 1998)
G. Fohrer, Geschichte Israels (UTB, Heidelberg 1995)
H. Cazelles, Histoire politique d'Israel (Paris 1982)
H. Donner, Geschichte Israels und seiner Nachbarn in Grundzügen (Göttingen 1984/86; 2 Bde.)
J. A. Soggin, Storia d'Israele (Brescia 1984)
M. Grant, The History of Ancient Israel (New York 1984)
J. M. Miller/J. H. Hayes, A History of Ancient Israel and Judah (London 1986)
M. Mazar, The Early Biblical Period (Jerusalem 1986)
Z. Kallai, Historical Geography of the Bible (Jerusalem/Leiden 1987)

III. Teil: Biblische Archäologie

W. M. Flinders Petrie, Methods & Aims in Archaeology (London 1904)

P. Thomsen, Palästina und seine Kultur in fünf Jahrtausenden nach den neuesten Ausgrabungen und Forschungen dargestellt (Leipzig 3. Aufl. 1932)

C. Watzinger, Denkmäler Palästinas (Leipzig 1933–35; 2 Bde.)

J. Simons, Opgravingen in Palestina (Roermond o.J. = 1936)

C. Kopp, Grabungen und Forschungen im Heiligen Land 1867–1938 (Köln 1939)

A. G. Barrois, Manuel d'Archéologie Biblique (Paris I 1939, II 1953)

F. M. Kenyon, The Bible and Archaeology (London 1940)

W. F. Albright, Archaeology and the Religion of Israel (Baltimore 2. Aufl. 1946); dt.: Die Religion Israels im Lichte der archäologischen Ausgrabungen (München 1956)

Ders., Archaeology of Palestine (Harmondsworth 4. Aufl. 1960, Gloucester Mass. 1971); dt.: Archäologie in Palästina (Einsiedeln 1962)

A. Jirku, Die Ausgrabungen in Palästina und Syrien (Halle 2. Aufl. 1970)

G. E. Wright, Biblical Archaeology (Philadelphia 1957); dt.: Biblische Archäologie (Göttingen 1958)

M. Noth, Die Welt des Alten Testaments (Berlin 4. Aufl. 1962) 96–164

A. Parrot, Bibel und Archäologie (Zürich 1954–60; 5 Bde.)

J. B. Pritchard, Archaeology and the Old Testament (Princeton 1958); dt.: Die Archäologie und das Alte Testament (Wiesbaden 1961)

D. Winton Thomas (Hrsg.), Archaeology and Old Testament Study (Oxford 1967)

J. Finegan, The Archaeology of the New Testament (Princeton 1970)

K. M. Kenyon, Archaeology in the Holy Land (London 4. Aufl. 1979); dt: Archäologie im Heiligen Land (Neukirchen 2. Aufl. 1973)

H. Bardtke, Bibel, Spaten und Geschichte (Göttingen 2. Aufl. 1971)

H. T. Frank, An Archaeological Companion to the Bible (London 1972)

A. Negev, Archäologisches Lexikon zur Bibel (München 1972)

H. M. Orlinsky, Understanding the Bible through History and Archaeology (New York 1972)

J. Rehork, Archäologie und biblisches Leben (Bergisch-Gladbach 1972)

H. H. Schmid, Die Steine und das Wort (Zürich 1975)
Y. Yadin, Jerusalem revealed. Archaeology in the Holy City 1968–1974 (Jerusalem 1975)
V. Fritz, Einführung in die biblische Archäologie (Darmstadt 1985)
I. Finkelstein, The Archaeology of the Israelite Settlement (Jerusalem 1988)
A. Mazar, Archaeology in the Land of the Bible (New York 2. Aufl. 1992)

Nachschlagewerk
E. Stern u.a. (Hrsg.), The New Encyclopedia of Archaeological Excavations in the Holy Land (Jerusalem 1993; 4 Bde.)

ABKÜRZUNGEN

BA	The Biblical Archaeologist
BASOR	Bulletin of the American Schools of Oriental Research
BL	Bibel-Lexikon, hrsg. v. H. Haag, Einsiedeln 2. Aufl. 1968
BRL²	K. Galling (Hrsg.), Biblisches Reallexikon, Tübingen 2. Aufl. 1977
IEJ	Israel Exploration Journal
OBO	Orbis Biblicus Orientalis
PEQ	Palestine Exploration Quarterly
RAC	Reallexikon für Antike und Christentum
RB	Revue Biblique
TGI	K. Galling (Hrsg.), Textbuch zur Geschichte Israels, Tübingen 3. Aufl. 1979, Nr.
ZDPV	Zeitschrift des Deutschen Palästinavereins

ZEITTAFEL

ca. 10000–8000/7000	Mittelsteinzeit
ca. 7500–4500	Jungsteinzeit
ca. 4500–3200	Kupfersteinzeit
ca. 3100–2200	Frühbronzezeit
ca. 2200–1800	Mittelbronzezeit I
ca. 1800–1550	Mittelbronzezeit II
ca. 1550–1400	Spätbronzezeit I
ca. 1400–1200	Spätbronzezeit II
ca. 1400–1340	Amarnazeit
ca. 1300–1100	Landnahme
ca. 1200– 600	Eisenzeit
ca. 1012–1004	Saul
ca. 1004– 965	David
ca. 965– 926	Salomo
926	Reichsteilung

Juda		*Israel*	
926–910	Rehabeam	926–907	Jerobeam
910–908	Abija		
908–868	Asa	907–906	Nadab
		906–883	Bascha
		883–882	Ela
		882	Simri
		882–871	Omri
		871–852	Ahab
868–847	Joschafat	852–851	Ahasja
847–845	Joram	851–845	Joram
845	Ahasja		
845–840	Atalja	845–818	Jehu
840–801	Joasch	818–802	Joahas
801–773	Amazja	802–787	Joasch
787–756	Asarja	787–747	Jerobeam II.
756–741	Jotam	747	Secharja
		747	Schallum

		747–738	Menahem
741–725	Ahas	737–736	Pekachja
		735–732	Pekach
		731–723	Hoschea
725–697	Hiskija	721	Eroberung Samarias
696–642	Manasse		
641–640	Amon		
639–609	Joschija		
609	Joahas		
608–598	Jojakim		
598–597	Jojachin		
597–587	Zidkija		
587	Eroberung Jerusalems Wegführung ins Exil		

Persische Zeit

559–529	Kyrus II.
538	Edikt des Kyrus, Scheschbazzar
521	Rückkehr unter Serubbabel
521–485	Darius
464–424	Artaxerxes I.
445	Nehemia
404–358	Artaxerxes II.
398 (?)	Esra (458?) Samaritanisches Schisma

Griechische Zeit

359–336 Philipp von Makedonien
336–323 Alexander der Große

Juda	*Ägypten*	*Syrien*
	Ptolemäer 305–30	Seleukiden 312–64
	283–246 Ptolemaios II. Philadelphos	
	221–204 Ptolemaios IV.	223–187 Antiochos III. Megas
	204–180 Ptolemaios V.	187–175 Seleukos IV. Philopator
166–160 Judas d. Makk.		175–164 Antiochos IV.
160–143 Jonatan		162–150 Demetrius I.
		150–145 Alexander Balas
143–134 Simon		145–140 Demetrius II.
		Antiochos VI. Tryphon
134–104 Johannes Hyrkan I.		139/138–129 Antiochos VII.
104–103 Aristobul I.		129–125 Demetrius II.
103–76 Alexander Jannäus		
76–67 Alexandra		
67–63 Aristobul II.		
63 Pompeius		64 Römische Provinz
	30 Römische Provinz	

Römische Zeit

63–40 Johannes Hyrkan II.
40–37 Antigonus
37–4 Herodes d. Ältere

Judäa/Samaria	*Galiläa/Peräa*	*Batanäa u. a.*
4 v. Chr. – 6. n. Chr. Archelaos	4 v. Chr – 39 n. Chr. Herodes Antipas	4 v. Chr. – 34 n. Chr. Herodes Philippus
6–41 Prokuratoren		
26–36 Pontius Pilatus	39–44 Herodes Agrippa I.	37–44 Herodes Agrippa I.
41–44 Herodes Agrippa I.		Prokuratoren
44–66 Prokuratoren	44–53 Prokuratoren	
52–60 Felix	53–100 Herodes Agrippa II.	
60–62 Porcius Festus		
66–70 Jüdischer Krieg		
70 Zerstörung Jerusalems		

REGISTER

Personen und Sachen, Länder und Völker

Geographische Namen (Orte, Flüsse, Berge)

Moderne Forscher

Bildnachweis

British Museum, London: Abb. 9
Deutsche Bibelgesellschaft, Stuttgart: farbige Karten (Umschlag)
Andreas Vonach, Innsbruck: S. 124
Haag, Herbert, Luzern: Abb. 1, 2, 3, 4, 5, 7, 12, 14, 17, 17 18, 19, 20 sowie alle Farbabbildungen (bis auf Abb. 8: Zev Radovan, Jerusalem)
Hebrew Union College, Jerusalem: Abb. 21
Prof. F.P. Rehorm Schwyz (Martinus-Verlag, CH-6280 Hochdorf): Abb. 6, 8, 10, 11, 13
Service photographique de la Réunion des musées nationaux, Paris: Abb. 15